Mac
便利技大全

standards

C O N T E N T S

2 SECTION 標準アプリの活用テクニック

3 SECTION iPhoneやiPad、Windowsとの連携テクニック

4 SECTION BESTアプリコレクション

5 SECTION メンテナンスとセキュリティ

Macがもっと便利に
もっと快適になる
隠れた
便利機能や
技あり操作
ベストな
アプリが満載!

仕事や勉強、プライベートで
毎日活躍するMac。
しかし本来の先進的でパワフルな
実力を最大限引き出すには、
macOSの隠れた便利機能や
最適な設定、効率的な操作法、
目的に合ったベストなアプリを
知ることがとても大事。
本書では、Macをもっとしっかり
活用したいユーザーへ向けて、
上級者が日常的に使っている
テクニックや賢い操作法、最新の
ツールを多数紹介。日々の使い方を
劇的に変える1冊になるはずだ。

※本書は弊社刊行の「MacBook便利すぎる!テクニック」を元に加筆、再編集を行い、
全モデルのMacおよび最新のmacOSに対応させた2024年最新版です。

macOSの
アップデートに
ついて

本書の記事では、macOS Sonoma
をインストールしたMacの操作法を
解説している。あらかじめmacOSが
Sonomaにアップデートされているかど
うか確認しよう。

1 システム設定を開く

「ソフトウェアアップデートがあ
ります」と表示される場合もある

画面左上のAppleメニューやDockで「システム
設定」をクリック。続けて、メニューで「一般」→「ソ
フトウェアアップデート」をクリックする。

2 アップデートを開始する

今すぐアップデート

クリック

アップデートがある場合は「今すぐアップデート」や
「今すぐ再起動」というボタンが表示されるので、
クリックしてアップデートを開始する。

macOSが最新状態の場合は

macOS Sonoma 14.4.1 (23E224)
前回の確認: 今日 17:18
この Mac は最新の状態です。

macOSが最新状態の場合は、インストール
済みのバージョンと共に「このMacは最新の
状態です」と表示される。

1

macOSの隠れた便利機能や効率的な操作法

意外と知られていないmacOSの隠れた便利機能や、あらゆるシーンで
時短に貢献するショートカットキー、環境を自分仕様に快適化するシステム設定のチェックポイント、
Finderの便利技など、日々の操作の効率化に直結するテクニックが満載。

001
Mission Control

macOS標準の仮想デスクトップ機能を使って作業を効率化
複数のデスクトップを
切り替えて利用する

Mission Controlで
仮想デスクトップを使おう

多数のウインドウやアプリを同時に使う場合、1つの画面ですべてを表示しようとしても画面の表示領域に限りがあるため、操作効率が落ちてしまいがちだ。そこで使いこなしておきたいのが、macOSに標準搭載されている仮想デスクトップ機能「Mission Control」。本機能では、複数のデスクトップ（操作スペース）を追加し、それぞれに好きなウインドウを分散表示させることが可能だ。たとえば、デスクトップ1には仕事用のアプリを表示しておき、デスクトップ2には創作用のアプリを表示。デスクトップ3にはSNSアプリを起動しておく、といった使い方ができる。デスクトップの切り替えは、以下のショートカットで瞬時に可能。多数のアプリを同時に起動しながら作業するような人は、Mission Controlで操作効率が大幅にアップするのでぜひ使いこなしてみよう。

操作スペース切り替えの操作方法

トラックパッドを使い、3本指または4本指で左右にスワイプする

キーボードを使い、「control」＋カーソルキーの左または右を押す

※キーボードショートカットが動作しない場合は、「システム設定」→「キーボード」→「キーボードショートカット」→「Mission Control」でMission Control項目内にある「左（または右）の操作スペースに移動」を有効にしておこう。

そもそも仮想デスクトップ機能とは？

デスクトップ1  ⟷ デスクトップ2  ⟷ デスクトップ3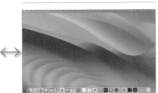

Mission Controlでは、複数のデスクトップ（操作スペース）を作成して、それぞれを瞬時に切り替えられる。操作スペースの切り替えは「control」＋カーソルキー左右を押すか、トラックパッドを3本指で左右スワイプすれば可能だ。

Mission Controlで操作スペースを追加する

Mission Controlを起動すると、画面上部にSpaces Barが表示される。ここで、各操作スペースの追加や削除などの管理が可能だ

「control」＋カーソルキー上か3本指による上スワイプでMission Controlの画面を表示。新しい操作スペースを追加する場合は、画面上部の右端にある「＋」ボタンをクリックしよう。

「＋」をクリックする

新しい操作スペースが作成される。この画面をクリックすれば操作スペースの切り替えが可能だ

Spaces Barの「＋」をクリックすると操作スペースが新規作成され、Spaces Barにサムネイル画面が追加される。これをクリックすることで操作スペースの切り替えが可能だ。不要な操作スペースを削除したい場合は、ポインタを合わせて「×」ボタン押せばいい。なお、フルスクリーン状態のアプリも個別の操作スペースとして表示される。

Mission Controlで操作スペースやウインドウを管理する

1 ウインドウはほかのデスクトップにドラッグ＆ドロップで移動できる

新しいデスクトップにウインドウをドラッグ＆ドロップ

Mission Control画面でウインドウをドラッグし、Spaces Bar上の操作スペースにドロップすると、そのデスクトップにウインドウを移動することが可能だ。

2 アプリウインドウをフルスクリーン表示の画面として追加する

フルスクリーンに対応したアプリウインドウをドラッグ＆ドロップ

アプリウインドウをSpaces Barの空いたスペースにドラッグ＆ドロップすると、そのアプリのフルスクリーン表示画面を作ることができる。

3 フルスクリーン表示の画面にウインドウを重ねてSplit Viewにする

Split View対応のアプリウインドウをドラッグ＆ドロップ

Split View（No003の記事1参照）に対応したアプリのウインドウをフルスクリーン表示中の操作スペースにドラッグすると、その画面をSplit Viewに変更できる。

002

ファイル名変換

macOSの標準機能だけでファイル名の変換が可能

複数ファイルのファイル名を一括で変換する

ファイル名の検索置換や連番リネームなどができる

大量の写真や書類、動画素材などのファイルが溜まってしまい、ファイル名もごちゃごちゃで整理されていない場合は、ファイル名をわかりやすくリネーム（名称変更）して整理しておくといい。複数のファイルを一括リネームしたい場合は、Finderの標準機能が便利。複数ファイルを選択して右クリック→「名称変更」を実行すると、リネーム用のダイアログが表示される。ここからリネームの処理方法を選び、必要な設定を行って「名前を変更」をクリックすればOKだ。ファイル名を指定テキストで検索置換したり、任意のテキストをファイル名の前や後に追加したり、連番ファイル名や日時付きファイル名にしたりなど、いろいろなリネーム処理に対応している。意外と知られていないが作業の時短に欠かせない機能なので、ぜひ利用してみよう。

Finderの「名称変更」機能を使ってみよう

1 複数のファイルを選択して右クリックする

リネームしたいファイルを選択

名称変更...

まずは、Finderウインドウでリネームしたい複数のファイルをまとめて選択する。次に右クリックして「名称変更」を選択しよう。

2 処理方法を選んでファイル名をリネームしてみよう

実行したい処理方法を選ぶ

「Finder項目の名前変更」ウインドウが開くので、右上のポップアップメニューから実行したい処理方法（右表参照）を選ぼう。必要な設定を済ませたら「名前を変更」をクリック。

3 ファイル名がリネームされたか確認しよう

ファイル名がリネームされた

よく使う項目
AirDrop
最近の項目
アプリケ…
書類
ダウンロ…

名前
image1.jpg
image2.jpg
image3.jpg
image4.jpg
image5.jpg
image6.jpg
image7.jpg
image8.jpg
image9.jpg
image10.jpg

iCloud
iCloud Dri...
共有

これで選択しているファイル名がすべてリネームされた。なお、リネーム処理を間違えた場合は、「command」+「Z」キーですぐに取り消しが可能だ。

名称変更で選択できる処理方法

処理方法	概要
テキストを置き換える	指定したテキストをファイル名から検索して別のテキストに置換するモード。削除したいテキストを「検索文字列」欄に入力し、追加するテキストを「置換文字列」に入力する
テキストを追加	ファイル名の前または後に、任意のテキストを追加できるモード。テキストを入力欄に入れたら、追加する場所を「名前の前」か「名前の後」かで選択する
フォーマット	指定したフォーマットで連番や日付をファイル名に追加するモード。「名前のフォーマット」欄で以下の3つから実行したいフォーマットを選べる。番号を追加する場所は「名前の前」か「名前の後」かで選択が可能 ▶名前とインデックス 好きなテキストと番号でリネーム 例：ファイル1、ファイル2、ファイル3… ▶名前とカウンタ 好きなテキストと番号（5桁）でリネーム 例：ファイル00001、ファイル00002… ▶名前と日付 好きなテキストと現在の日時でリネーム 例：ファイル2024-04-27 6.15.14 午後 　　ファイル2024-04-27 6.15.14 午後2 　　ファイル2024-04-27 6.15.14 午後3…

003

ウインドウの管理テクニックをマスターしよう
あらゆる作業を効率化する ウインドウの操作法

1 画面を2分割して2つの作業を同時に行う

2つのウインドウを 画面分割して表示してみよう

macOSでは、「Split View」という機能で、2つのウインドウを画面中央で分割して同時に表示させることが可能だ(これを「タイル表示」と呼ぶ)。ウインドウの左上にある緑色のフルスクリーンボタンにマウスポインタを合わせ、表示されたメニューからタイル表示の項目を選んでみよう。そのウインドウがタイル表示になり、もう片方のウインドウを選べば分割表示になる。2つのアプリやフォルダを同時に操作したいときに使ってみよう。

1 ウインドウのフルスクリーン ボタンからタイル表示を選ぶ

分割表示したいウインドウを表示しておき、フルスクリーンボタン(緑色)にマウスポインタを合わせる。メニューから「ウインドウを~にタイル表示」を実行しよう。

2 逆側のエリアで もう1つのウインドウを選ぶ

逆側のエリアでタイル表示にしたいウインドウを選ぶ

すると、そのウインドウが画面の左右どちらかでタイル表示に切り替わる。さらに、もう片方のエリアでタイル表示するウインドウを選んでクリックしよう。

3 2つのウインドウが Split Viewでタイル表示された

境界線をドラッグして比率を変えられる

これで2つのウインドウが画面中央で分割表示される。中央にある境界線をドラッグすれば、画面の比率を変更可能だ。Split Viewを解除したい場合は、どちらかのウインドウのフルスクリーンボタンを押せばいい。

4 複数のSplit View画面を Mission Controlで切り替える

Mission Controlの操作スペースとして切り替えが可能

Split Viewによる分割表示画面は、Mission Controlの1つの操作スペースとして作られる。Safariとメモ、メールとカレンダー、ダウンロードフォルダと書類フォルダなど、よく使う2つのアプリやフォルダの組み合わせがある場合は、作業ごとに複数のSplit Viewを作っておくといい。各操作スペースは「control」+カーソルキー左右で切り替えられる。

2 開いているウインドウを鳥瞰的に一覧する

Mission Controlで 隠れたウインドウも一覧表示

多数のウインドウを同時に開きながら作業しているとき、目的のウインドウが隠れてしまってどこにあるかわからなくなりがちだ。そんなときはMission Controlの画面を呼び出そう。現在開いているすべてのウインドウが一覧表示される。あとは、最前面に表示したいウインドウをクリックすればいい。なお、Mission Controlの画面は、「control」+カーソルキー上ですぐに表示できるので便利だ。

1 目的のウインドウがどこに あるのかわからないときは……

トラックパッドを3本指で上にスワイプしてもいい

複数のウインドウを表示していると、目的のウインドウが隠れてどこにあるのかわからなくなるときがある。そんなときは「control」+カーソルキー上を押そう。

2 Mission Controlで ウインドウを一覧できる

Mission Controlの画面が表示され、現在開いているすべてのウインドウがサムネイル画像で一覧表示される。ここから使いたいウインドウをクリックしよう。

3 使用中のアプリのウインドウだけを一覧表示

同じアプリのウインドウを並べて切り替えできる

「ホットコーナー（No004で解説）」の設定で「アプリケーションウインドウ」を割り当てておくと、現在アクティブになっている（最前面に表示されている）アプリのウインドウをサムネイル画像で一覧表示できる。複数の操作スペースに分散している複数のFinderウインドウなどは、この機能ですぐに把握できるので便利だ。なお、「control」＋「↓」キーのショートカットでも同じ機能を実行できる（本ページ下参照）。

1 「アプリケーションウインドウ」をホットコーナーで割り当てる

Appleメニュー→「システム設定」→「デスクトップとDock」の画面を表示し、右下にある「ホットコーナー」をクリック。「アプリケーションウインドウ」を割り当てよう。

2 同じアプリのウインドウが一覧表示される

「アプリケーションウインドウ」を割り当てたホットコーナーにマウスポインタを移動してみよう。現在アクティブになっているアプリのウインドウが一覧表示される。

4 同じアプリ内でウインドウを次々に切り替える

ショートカットキーでウインドウを切り替えよう

同じアプリで複数のウインドウを同時に開いている場合、「command」＋「@」キーを押すたびに、最前面に表示するウインドウを次々切り替えることが可能だ。この操作は、アプリだけでなくFinderのフォルダウインドウにも対応している。Finderで複数のフォルダをウインドウで開いているときに、このショートカットキーを使えば、目的のフォルダウインドウを素早く探し出せるようになるので便利。複数のファイルを素早く見比べる際にも利用したい。

「command」＋「@」キーで同じアプリのウインドウを切り替えられる

ウインドウを切り替える

同じアプリのウインドウを複数開いている場合、上のショートカットキーを押すと、最前面に表示するウインドウを切り替えられる。このとき、目的のアプリをアクティブにしてからショートカットキーを押すこと。

5 ウインドウ操作を高速化するショートカットキー

ショートカットキーで操作を効率化しよう

ここではウインドウ操作に関係するショートカットをいくつか紹介しておこう。以下を使いこなせば、標準アプリやFinderのウインドウをさらに効率よく操作できる。Mission Control（No001で解説）やアプリケーションウインドウのショートカットも覚えておくと便利だ。

新しいウインドウを開く

最前面にあるアプリで新しいウインドウを開く。Finderの場合は、「最近の項目」を新規ウインドウで開く。

最前面のウインドウを閉じる

最前面にあるウインドウを閉じる。タブ表示中のアプリの場合は、最前面のタブを閉じる。

アプリのウインドウをすべて閉じる

最前面にあるアプリのウインドウをすべて閉じる。タブ表示中のアプリの場合は、すべてのタブを閉じる。

最前面のアプリを非表示にする

最前面にあるアプリのウインドウをすべて非表示にする。非表示にしたウインドウは、そのアプリをアクティブにすれば再び表示される。

最前面のアプリ以外を非表示にする

最前面に表示されているアプリのウインドウ以外をすべて非表示にする。ほかのウインドウを一時的に隠したい場合に使おう。

指定したアプリだけを表示する

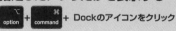

「option」＋「command」キーを押しながら、Dockのアプリをクリックすると、そのアプリのウインドウだけを表示し、ほかのウインドウを非表示にできる。

Mission Control画面を表示

Mission Control画面を開く。再度押せば元の画面に戻る。

操作スペースを切り替える

Mission Control画面で複数の操作スペースを追加している場合、操作スペースを切り替える。

アプリケーションウインドウ

最前面にあるアプリのすべてのウインドウをサムネイル画像で一覧表示できる。

004

ホットコーナー

ホットコーナーで便利な機能を呼び出そう
ポインタを画面角に移動してアクションを実行する

よく使う画面や機能を
クリックなしで呼び出せる

macOSには、「ホットコーナー」という機能が用意されている。これは、画面の四隅にポインタを移動させることで、よく使う画面や機能をすぐに呼び出せるものだ。ホットコーナーに割り当てられるのは、「Mission Control」や「アプリケーションウインドウ」、「デスクトップ」、「通知センター」など（以下表参照）。初期状態では右下に「クイックメモ」が割り当てられているが、使わないのであれば無効化しておいてもいい。ホットコーナーの割り当ては、「システム設定」から行う。なお、ホットコーナーの機能を割り当てるときに、「command」、「shift」、「option」、「control」の各キーを押しながら選ぶと、そのキーを押しながら四隅にポインタを動かしたときだけ起動するようにできる。

ホットコーナーに割り当て可能な機能

機能
Mission Control
アプリケーションウインドウ
デスクトップ
通知センター
Launchpad
クイックメモ
スクリーンセーバーを開始
スクリーンセーバーを無効にする
ロック画面

4つのホットコーナーには、上のような機能を割り当て可能だ。よく使う機能を割り当てておこう。

ホットコーナーの設定と呼び出し方法

1 システム設定から ホットコーナーを設定する

まずはホットコーナーを設定してみよう。「システム設定」を開いたら、「デスクトップとDock」を開き、一番下にある「ホットコーナー」ボタンをクリックする。

2 4つの角で呼び出したい 機能を割り当てる

各コーナーに好きな機能を割り当てておく

4つの角に割り当てる機能をメニューから選んでおこう。「command」、「shift」、「option」、「control」の各種キーを押しながら選ぶことも可能だ。

3 ディスプレイの角に ポインタを移動してみよう

デスクトップの四隅にポインタを移動してみよう。ホットコーナーに割り当てた画面や機能が起動する。デスクトップやLaunchpadなど、よく使う機能をホットコーナーに割り当てておくと便利だ。

割り当てた機能（ここではLanchpad）が呼び出される

画面のコーナーにマウスポインタを移動する

POINT

ディスプレイの配置によってはホットコーナーが無効化される

Macに複数のディスプレイを接続している場合、ディスプレイ同士がつながっている角の部分はホットコーナーが無効化されるので注意しよう。ホットコーナーが使えるのは、ディスプレイの角がほかのディスプレイにつながっていない場所のみだ。これは、Sidecarやユニバーサルコントロールを使用している場合も同じ。各ディスプレイのつながり具合は、「システム設定」の「ディスプレイ」→「配置」ボタンから確認しておこう。

複数のディスプレイを接続している場合は、「システム設定」→「ディスプレイ」→「配置」をクリックして、ディスプレイの配置状況を確認しておこう。

ディスプレイの配置画面で、各ディスプレイの角がつながっている場所（上の画像の○で囲んだ部分）だと、ホットコーナーは呼び出せない。

005
Dock設定

Dockのサイズや表示位置などを調整しよう
Dockの表示や挙動を
使いやすく設定する

自分好みの表示に
カスタマイズしておこう

　デスクトップの画面最下部に表示されている「Dock」は、よく使うアプリや最近使ったアプリなどをアイコンで表示しておける場所だ。このDockは、表示や挙動などを自分好みにカスタマイズできる。よく使う設定は、Dockの空いている場所（縦線の入っているところ）を右クリックして表示されるメニューから変更可能だ。より細かい設定を行いたい場合は、「システム設定」→「デスクトップとDock」を開こう。ここでDock全体のサイズや表示位置、アイコンにポインタを合わせたときの拡大率をスライダーで調節できる。また、Dockの表示位置を画面の左右端にしたり、ウインドウをしまうときのエフェクトを変更したり、Dockを自動的に非表示にしたりなども設定可能だ。

システム設定からDockの設定を呼び出す

1 Dockのよく使う設定を 右クリックから呼び出す

Dockのよく使う設定は、縦線が入っている場所を右クリックして表示されるメニューから変更可能だ。「Dock設定」からはシステム設定のDock設定画面を開ける。

2 システム設定から Dockの詳細設定を行う

「システム設定」から「デスクトップとDock」を開くと、Dockの詳細設定が可能だ。よく使う設定については、以下で詳しく解説している。

Dockの設定を見直してみよう

Dockのサイズを 見やすい大きさに調整しておこう

Dockのサイズは、設定画面のスライダーで調整できる。「小」にすると見にくくなるので適度に大きくしておこう。「大」にすると画面の最大幅で表示されるようになる。

ポインタを合わせたときに アイコンを拡大

「拡大」のスライダーを変更すると、Dockのアイコンにポインタを合わせたときに拡大するようになる。少しだけ大きくなるようにしておくとわかりやすい。

Dockの画面上の位置を 設定する

「画面上の位置」では、Dockを画面の下だけでなく、画面の左右端にも表示できるようになる。標準では「下」だが、好みに応じて「右」または「左」にしてもいい。

ウインドウをしまうときの エフェクトを設定する

ウインドウをDockにしまうときのエフェクトは、「ジーニーエフェクト」か「スケールエフェクト」かを選べる。素早く切り替えたいなら「スケールエフェクト」がおすすめ。

Dockを自動的に 非表示にする

「Dockを自動的に表示/非表示」をオンにすると、Dockが非表示になり、画面を広く使える。Dockはポインタを画面下に移動すれば自動で表示される。

最近使ったアプリケーションを Dockに表示

「アプリの提案と最近使用したアプリをDockに表示」はオンにしておくのがおすすめ。Dockの右側に最近使ったアプリのアイコンがしまわれるようになる。

006

ショートカット

Macユーザーならこれだけは覚えておきたい
普段の操作を高速化する
必須ショートカット

■ 基本操作はすべて ショートカットでできる

ここではMacを効率的に操作するためのキーボードショートカットを紹介しておこう。以下の基本ショートカットを覚えておけば、Finderやアプリの操作効率が劇的にアップするはずだ。なお、ウインドウ操作関連のショートカットはNo003の記事5で解説している。

基本的なキーボードショートカット

保存する
command + S

現在編集中の書類やデータを上書き保存する。はじめて保存する場合は、保存ダイアログが表示される。

取り消す
command + Z

直前の操作を取り消す。「shift」+「command」+「Z」キーで取り消した操作をやり直すことも可能だ。

コピー
command + C

選択している項目やデータをクリップボードにコピーする。Finder内のファイルに対しても使える。

ペースト（貼り付け）
command + V

クリップボードの内容を現在操作しているアプリや書類に貼り付ける。Finder内のファイルに対しても使える。

カット（切り取り）
command + X

選択している項目やデータを切り取って、クリップボードにコピーする。Finder内のファイルに対しても使える。

終了する
command + Q

現在起動しているアプリを終了する。「shift」+「command」+「Q」キーでログアウトの操作もできる。

すべてを選択
command + A

すべての項目を選択する。開いているウインドウ内の全項目や書類の全内容を選択したいときに使う。

新規作成する
command + N

Finderの場合、新規Finderウインドウを開く。一般的なアプリの場合、書類や項目を新規作成する操作となる。

新規フォルダを作成
shift + command + N

Finderで現在操作している場所に新規フォルダを作成する。

情報を見る
command + I

選択したファイルやフォルダの「情報を見る」画面を表示する。

クイックルック
space

現在選択中の項目の内容をクイックルックでプレビューする。

項目をゴミ箱に移動する
command + delete

選択中の項目をゴミ箱に移動する。「command」+「Z」で取り消しが可能。

開く
command + O

Finderの場合、選択した項目を最適なアプリで開く。アプリの場合、開くダイアログを起動してファイルを開く。

新規タブを開く
command + T

Finderウインドウで新規タブを開く。Finderウインドウが開いていない場合は、新規ウインドウが開かれる。

検索する
command + F

Finderや各種アプリの検索機能を呼び出す。Safari操作時は表示しているページ内のテキスト検索が可能だ。

印刷する
command + P

Finderで選択したファイル、またはアプリで開いているファイルを印刷する。

コンテキストメニュー
control + クリック

クリックした場所に応じたコンテキストメニューを表示する（右クリックと同じ）。

複数の項目を選択
command + クリック

ファイルやフォルダを「command」+クリックすることで複数同時に選択できる。

複数の項目を連続選択
shift + クリック

リストやカラム表示で項目を選択し、別の項目に対して上の操作を実行すると、連続した複数項目を一括選択できる。

項目を複製する
option + ドラッグ&ドロップ

「option」を押しながらファイルやフォルダをドラッグ&ドロップすると複製できる。

POINT

ショートカットの記号を覚えよう

メニューの右端にはショートカットが表示されることがある。一部キーは以下のような記号で表示されるので覚えておこう。

よく使われるキーの記号

⌘ commandキー	⇧ shiftキー	→ tabキー

⌥ optionキー	^ controlキー	⊗ deleteキー

007
ショートカット

これらのショートカットであらゆる操作を時短化しよう
上級者が使っている超効率化ショートカット

覚えておくと役立つショートカット20選

基本的なキーボードショートカットについてはNo006の記事で解説したが、ここではそのほかの便利なショートカットをいくつか紹介しておこう。いちいちメニューやボタンを操作する必要がなくなるので、Finderやアプリをもっと効率よく操作できるようになる。

意外とよく使うキーボードショートカット

Finder — デスクトップを表示

Finderウインドウで「デスクトップ」を表示する。

Finder — コンピュータを表示

Finderウインドウで「コンピュータ」を表示する。

Finder — 強制終了する

「アプリケーションの強制終了」画面を表示する。

App — 次を検索する
Finder — 次を検索する
直前に検索した項目が次に出てくる場所を探す。「shift」+「command」+「G」キーで、前の場所に戻ることができる。

Finder App — 設定を開く

最前面にあるアプリの設定画面を開く。Finderを操作しているときは、「Finder設定」を開く。

App — カーソル右側の文字を削除

文字入力中にカーソルの右側にある文字を削除する。アプリによっては「control」+「D」キーでも同じ操作が可能。

Finder — アプリウインドウを非表示に

最前面のアプリウインドウを非表示にする。再表示するには、Dockからアプリのアイコンをクリックすればいい。

Finder — アプリを切り替える

現在開いているアプリの一覧を表示し、アプリを切り替えることができる。

Finder — ゴミ箱を空にする

上記のキーを押して「ゴミ箱を空にする」を選択すれば、ゴミ箱を空にできる。

Finder — iCloud Driveを開く
Finderウインドウで「iCloud Drive」を開く。

Finder — ダウンロードフォルダを開く

Finderウインドウで「ダウンロード」フォルダを開く。

Finder — AirDropを開く
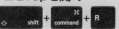
Finderウインドウで「AirDrop」を開く。

Finder — アプリケーションを開く

Finderウインドウで「アプリケーション」フォルダを開く。

Finder — ユーティリティを開く

Finderウインドウで「ユーティリティ」フォルダを開く。

Finder — 上のフォルダに移動

Finderウインドウで表示している現在のフォルダからひとつ上のフォルダを開く。

Finder — エイリアスを作成

ファイルやフォルダのエイリアス（ショートカット）を作成する。

Finder — 表示形式を変更する

Finderウインドウの表示形式を、アイコン／リスト／カラム／ギャラリー表示に切り替える。

Finder — Dockに追加する

Finderで選択したファイルやフォルダなどの項目をDockに追加する。

Finder — 内包するフォルダを表示
 + クリック

フォルダのタイトル部分を「command」+クリックすると、内包するフォルダを表示できる。右クリックでもOKだ。

Finder App — メニューを拡張する

「option」キーを押しながらメニューを表示すると、通常表示されていなかったメニュー項目が表示される。

008
ファンクション
キー

キーボード上部にあるファンクションキーを使いこなす

ファンクションキーを
自分仕様にカスタマイズする

物理ファンクションキーを常に標準のファンクションキーにする

標準のファンクションキーを多用するアプリで便利

Macの物理ファンクションキー（F1やF2などのキー）は、初期状態だと画面の明るさ調整や音量調整、音声入力などの特殊機能が割り当てられている。また、「fn」キーを押しながらF1、F2などを押せば、標準のファンクションキーとしても使用可能だ。しかし、ExcelやWordをはじめとする一部アプリでは、標準のファンクションキーが基本操作のショートカットキーとして頻繁に使われることがある。この場合、いちいち「fn」キーを押しながらF1やF2を押すという操作はかなり非効率だ。そこでおすすめなのが、F1、F2などのキーを常に標準のファンクションキーとして使えるようにしておく設定。なお、この状態だと、各キーに割り当てられている特殊機能は「fn」キーを押しながらF1、F2などを押すことで呼び出せるようになる。

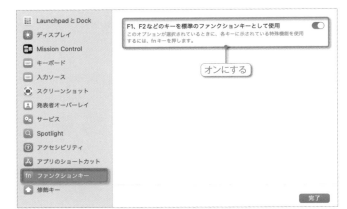

オンにする

システム設定で設定を変更しよう

「システム設定」→「キーボード」→「キーボードショートカット」→「ファンクションキー」を開いたら、「F1、F2などのキーを標準のファンクションキーとして使用」をオンにしよう。これでF1、F2などのキーが常に標準のファンクションキーとして機能するようになる。ExcelやWordなどをよく使う人は、この設定の方が使いやすい。

Touch Barにファンクションキーを常時表示する

Touch Barに標準のファンクションキーを常時表示しておきたい場合は、「システム設定」→「キーボード」→「Touch Bar設定」でTouch Barに表示する項目を「F1、F2などのキー」にしておこう。

アプリごとの機能を標準のファンクションキーに割り当てる

ファンクションキーをショートカットキーとして使う

アプリの特定の機能を標準のファンクションキーに割り当てることも可能だ。よく使う機能やショートカットキーが割り当てられていない機能を標準のファンクションキーで呼び出したいときに設定してみよう。外部キーボード接続時は、F13～F19のファンクションキーがほぼ使われないので、ここに機能を割り当てるといい。

メニュータイトルを調べておこう

各アプリのメニューから実行できる機能であれば、ほぼすべての項目を標準のファンクションキーに割り当てて実行可能だ。割り当てたい機能はあらかじめメニューをたどって項目のタイトルを調べておくこと。

1 システム設定でショートカットを追加する

ショートカットを変更するには、キーコンビネーションをダブルクリックしてから、新しいキーを押してください。

> すべてのアプリケーション

+ −

「システム設定」→「キーボード」→「キーボードショートカット」→「アプリのショートカット」を開いたら、「+」ボタンでショートカットを追加しよう。

2 アプリとメニュータイトル、ショートカットを設定する

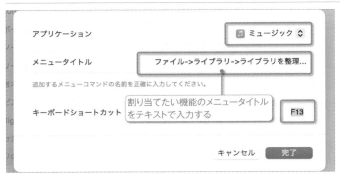

「アプリケーション」で割り当てたいアプリを選択。「メニュータイトル」で実行する機能を入力しよう。「ファイル->ライブラリ->ライブラリを整理...」といったように階層は「->」で表すこと。「キーボードショートカット」では、割り当てたい標準のファンクションキーを設定。通常のショートカットキーを割り当てることも可能だ。

009

ファイル復元

Time Machineなどで手軽に復元できる

誤って上書き保存したファイルを 以前のバージョンに戻す

いくつかの方法で ファイルを復元できる

　ファイルを間違えて上書き保存したり、作業中のアプリが予期せず終了した場合は、まずアプリが「バージョンを戻す」機能を備えているか確認しよう。1時間ごとに自動保存された履歴から復元が可能だ。この機能を備えていないアプリのファイルでも、Time Machine（No039で解説）でバックアップさえ作成していれば以前のバージョンを簡単に復元できる。またiCloudに保存したファイルは、iCloud.comの「データの復旧」→「ファイルを復元」から復元できる。OneDriveやGoogleドライブ、Dropboxなどのクラウドサービスに保存しているファイルは、それぞれのサービスでバージョン管理から復元できる場合が多いので確認しよう。

バージョンを戻すやTime Machineで復元

1 バージョンを戻す 機能を利用する

テキストエディットやPages、プレビューなど一部のアプリは、「ファイル」→「バージョンを戻す」→「すべてのバージョンをブラウズ」をクリック。

2 以前のバージョンに 復元する

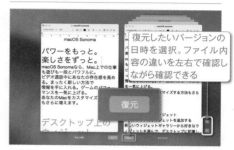

復元したいバージョンの日時を選択。ファイル内容の違いを左右で確認しながら確認できる

1時間ごとの自動保存や手動保存したタイミングの履歴が一覧表示されるので、復元したいバージョンを選択し「復元」をクリックしよう。

3 Time Machineで ファイルを復元する

Time Machine用ドライブなどを常時接続していない場合は接続する。なお、一部のバックアップはMac内にも保存される（ローカルスナップショット）ため、Time Machine用ドライブを接続しなくても過去24時間分のファイルなどを復元できる場合がある

「バージョンを戻す」が使えないならTime Machineを利用しよう。まず、Time Machineバックアップが保存されている外付けドライブを接続する。

4 Time Machineバックアップを ブラウズする

Time Machine バックアップをブラウズ

クリック。Time Machineのアイコンがない場合は「システム設定」→「コントロールセンター」で「Time Machine」の項目を「メニューバーに表示」にしておく

バージョンを戻したいファイルのあるフォルダを開き、メニューバーのTime Machineメニューから「Time Machineバックアップをブラウズ」を選択。

5 日時を選択して ファイルを復元する

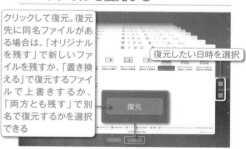

復元したい日時を選択

クリックして復元。復元先に同名ファイルがある場合は、「オリジナルを残す」で新しいファイルを残すか、「置き換える」で復元するファイルで上書きするか、「両方とも残す」で別名で復元するかを選択できる

復元したい日時のフォルダを表示させたら、復元したいファイルを選択して「復元」をクリックしよう。これでファイルが復元される。

OneDriveに保存したWordやExcelなどのバージョンを戻す

1 タイトルをクリックして バージョン履歴から復元

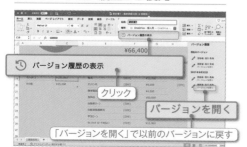

バージョン履歴の表示

クリック

バージョンを開く

「バージョンを開く」で以前のバージョンに戻す

WordやExcelファイルの保存先をOneDriveにしていれば、タイトルをクリックして「バージョン履歴の表示」で過去のバージョンに戻せる。

2 オフィス文書以外の ファイルも戻せる

クリック

バージョン履歴

OneDriveに保存したオフィス文書以外のファイルも、SafariでOneDriveにアクセスし、ファイルの「…」→「バージョン履歴」から復元できる。

POINT

Googleドライブや Dropboxの バージョン管理機能

GoogleドライブやDropboxにもバージョン管理機能があり、ファイルを以前のバージョンに戻せる。Googleドライブはファイルの「:」→「ファイル情報」→「版を管理」から復元するか、Googleドキュメントなどの書類は変更履歴から復元しよう。Dropboxはファイルの「…」→「アクティビティ」→「バージョン履歴」から復元する。

クリック

010

便利機能

Macがもっと便利になる機能を知ろう
macOSの隠れた便利機能や操作法

---

1 ログイン時に指定したアプリを起動する

使用時に必ず使うアプリを登録しよう

　Macを起動した際は、同時に指定したアプリを自動で起動させることができる。「システム設定」→「一般」→「ログイン項目」でアプリを追加しておけばよい。特に、必ず確認したいカレンダーやリマインダー、デスクトップに表示させるスティッキーズ、常に同期を実行したいクラウドサービスなどを追加しておくのがおすすめだ。ただし、アプリを追加しすぎると、Macの起動が遅くなるので注意しよう。

1 システム設定でログイン項目を開く

スタートアップアプリを管理するには、Appleメニューから「システム設定」→「一般」→「ログイン項目」をクリックしよう。

2 スタートアップアプリの登録と削除

「ログイン時に開く」画面の下部にある「＋」から、ログイン時に自動で起動するアプリを追加できる。また、アプリを選択して「ー」をクリックで削除できる。

---

2 スクリーンショットの多彩な機能を活用する

スクリーンショットのツールを利用しよう

　「shift」＋「command」＋「3」の同時押しでスクリーンショットを撮影できるが、「3」ではなく同時に「4」を押すことで範囲指定も行える。また、「4」を押した後スペースキーを押してウインドウを指定し、クリックやenterを押せば、そのウインドウのみを撮影可能（「option」を押しながらクリックやenterを押すことで影を消せる）。また、「5」を同時に押すことでスクリーンショットのツールが表示され、各種操作を実行できる。

1 スクリーンショットのツールを表示する

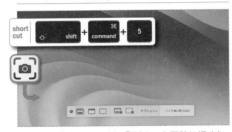

「shift」＋「command」＋「5」キーを同時に押すか、Launchpadの「その他」にある「スクリーンショット」を起動するとツールが表示される。

2 スクリーンショットの保存先やタイマーを設定

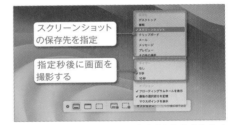

ツールの「オプション」をクリックすると保存先やタイマーの秒数を設定できる。「○秒後に取り込む」をクリックするとタイマー撮影が可能だ。

---

3 Macの画面をムービーで収録する

画面の操作を動画として保存しよう

　スクリーンショットでは、画面の操作や動きを動画として録画することも可能だ。「shift」＋「command」＋「5」キーを同時に押すか、Launchpadの「その他」にある「スクリーンショット」を起動して、表示されたツールで「画面全体を収録」か「選択部分を収録」を選択。あとは「収録」ボタンを押せば録画が開始され、ステータスメニューの停止ボタンを押すと終了してmovファイルを保存できる。

1 スクリーンショットのツールで収録ボタンを押す

「shift」＋「command」＋「5」キーを押したら、ツールから「画面全体を収録」か「選択部分を収録」かを選び、「収録」で録画をスタートさせる。

2 メニューバーの停止ボタンで録画を終了

メニューバーにある停止ボタンをクリックすると、録画を終了してmovファイルとして保存できる。保存先はツールの「オプション」から指定しておこう。

4 ファイルを誤って削除しないようロックをかける

削除や変更をしたくない重要なファイルを保護

　誤って削除したり上書きしたくない重要なファイルは、ロックをかけて保護しておくことが可能だ。ロックしたいファイルを右クリックし、「情報を見る」の「一般情報」にある「ロック」にチェックしておけばよい。ファイルに編集を加えたり削除しようとすると確認画面が表示されるようになる。またフォルダをロックすることもでき、フォルダ内のファイルの変更や移動を禁止できる。

1 重要なファイルにロックをかける

内容を変更したり削除したくないファイルは、右クリックして「情報を見る」をクリックし、「一般情報」欄にある「ロック」にチェックしよう。

2 変更や削除しようとする際に確認される

「ロックを解除」でロックを解除するか、「複製」で複製を作成すれば内容を編集できる（元のファイルは変更されない）

ロックしたファイルの内容を変更しようとすると、確認メッセージが表示されるようになる。また削除しようとした際も確認メッセージが表示される。

---

5 音量や画面の明るさ、バックライトをより細かく調整する

ショートカットで1/4ずつ調整できる

　Macは、音量や画面の明るさ、キーボードのバックライトの明るさをそれぞれのキーで調整できる。また、Touch Barを搭載するMacBookでは、Touch BarのControl Stripにあるそれぞれのボタンで調整が可能だ。キーやボタンを押す際、「option」+「shift」を同時に押すことで、音量や画面の明るさを通常の1/4刻みの目盛りで細かく微調整することができる。ほんの少しだけ音量や画面の明るさを調整したい時に利用しよう。なお、Siriに「音量を○%にして」や「画面の明るさ○%にして」と頼むことで、音量や画面の明るさを1%単位で調整することもできる（No019で解説）。特に音量は微妙に大きすぎたり小さすぎたり、通常の操作ではちょうどよいボリュームに設定しづらいので、この操作を利用したい。

1 音量などを細かく調整するショートカットキー

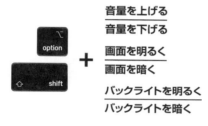

音量を上げる
音量を下げる
画面を明るく
画面を暗く
バックライトを明るく
バックライトを暗く

「option」+「shift」キーを押しながら、音量や画面の明るさ、キーボードのバックライト調節キーを押してみよう。

2 通常の1/4目盛りずつ細かく調整できる

目盛りが1/4ずつ動く

通常は1目盛りずつ音量を上げたり下げたりできるが、「option」+「shift」キーと同時に押すことで、1/4目盛りずつ細かく調整できる。

POINT

Fnキーや
Touch Barでの操作方法

キーボードの設定で「F1、F2などのキーを標準のファンクションキーとして使用」をオンにしていると、音量調節キーなどがファンクションキーとして動作する。この場合は「option」+「shift」+「fn」キーを押しながら音量調節キーを押そう。またTouch Barの場合は、Control Stripの「＜」をタップして展開すれば音量調節ボタンなどがすべて表示される。

---

6 Spotlightで計算や単位変換を行う

ファイル検索だけでないSpotlightの活用テク

　「command」+「スペース」キーで呼び出せるSpotlightは、Mac内のあらゆるファイルを探し出せる強力な検索ツールとしてだけでなく、計算機や単位換算ツールとしても利用できる。「23.6*12.7」や「186/15」などの数式を入力すればすぐに計算結果が表示されるほか、「823cm」「37.6℃」など寸法や温度を他の単位に換算したり、「100ドル」と入力して円などの通貨に換算できる。

1 検索ウィンドウに数式や寸法を入力

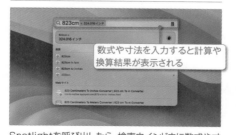

数式や寸法を入力すると計算や換算結果が表示される

Spotlightを呼び出したら、検索ウインドウに数式や寸法、重量、温度、通貨などを入力すると、すぐに計算結果やよく使われる単位に変換される。

2 他の換算結果も表示できる

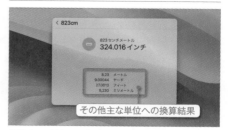

その他主な単位への換算結果

検索ウインドウ下の候補をクリックすると、その他の主な単位や通貨への換算結果がまとめて表示される。

7 通知を音声で読み上げてもらう

通知や確認ダイアログを音声で知らせてくれる

「システム設定」→「アクセシビリティ」→「読み上げコンテンツ」を開き、「通知を読み上げる」をオンにしておくと、通知が届いた際に音声で読み上げてくれるので、画面を見ていない時でも何の通知が届いたかすぐに把握できる。ただし、通知設定が「バナー」になっているアプリの通知は読み上げられない。また、メッセージやメールの場合は差出人名を読み上げるだけで内容までは読み上げてくれない。確認画面や警告ダイアログが表示された際は、その内容もすべて読み上げて知らせてくれる。標準では通知が届いてから読み上げるまでに20秒ほどタイムラグがあるが、「通知を読み上げる」の「i」ボタンをクリックすれば読み上げるまでの反応時間を変更可能だ。通知が届いてすぐに読み上げて欲しいなら、反応時間を0秒に変更しておけばよい。

1 通知の読み上げを有効にする

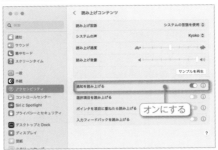

「システム設定」→「アクセシビリティ」→「読み上げコンテンツ」で「通知を読み上げる」をオンにすると、通知を音声で読み上げるようになる。

2 読み上げる反応時間を調整する

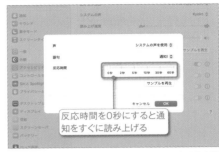

「通知を読み上げる」右の「i」ボタンをクリックすると設定画面が開く。通知が届いてすぐ読み上げて欲しい場合は「反応時間」を0秒に設定しておこう。

> **POINT**
> **バナーの通知は読み上げてくれない**
>
> アプリの通知設定が「バナー」になっていると、音声で読み上げてくれないので注意しよう。「通知パネル」に変更すると読み上げてくれる。通知設定の変更は、「システム設定」→「通知」でアプリを選んで行う。また、メッセージやメールの通知で読み上げるのは差出人の名前だけで、内容は読み上げない。Siriに「○○からの最新のメッセージを読み上げて」などと頼むと内容も読み上げてくれる。

---

8 選択した文章を読み上げてもらう

画面上のテキストを音声で読み上げてくれる

「システム設定」→「アクセシビリティ」→「読み上げコンテンツ」を開き、「選択項目を読み上げる」をオンにしておくと、ショートカットキー（標準では「option」+「esc」）を押すことで、選択したテキストを音声で読み上げてくれる。選択されていない場合も、画面上の読み上げ可能なテキストが読み上げられる。テキストエディタやメールなどの文章の場合は、カーソル位置から読み上げてくれる。ショートカットキーは変更も可能だ。

1 テキストの読み上げを有効にする

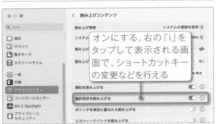

「システム設定」→「アクセシビリティ」→「読み上げコンテンツ」で「選択項目を読み上げる」をオンにすると、テキストの読み上げが可能になる。

2 ショートカットキーでテキストを読み上げる

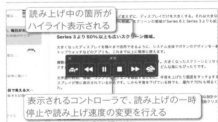

テキストを選択して「option」+「esc」キーを押すと、選択したテキストを読み上げてくれる。読み上げ中はコントローラが表示され操作できる。

---

9 時報で時刻を知らせてもらう

指定した間隔で時報を音声アナウンス

Macを使っているとダラダラと時間が過ぎてしまう人は、時報のアナウンスをオンにしておくのがおすすめだ。「システム設定」→「コントロールセンター」→「時計のオプション」で「時報をアナウンス」をオンにし、「間隔」を1時間／30分／15分から選択しておくと、指定した間隔ごとに音声で時刻をアナウンスしてくれる。この時報で作業に集中する時間と休憩する時間を管理しよう。

1 時計のオプションをクリック

「システム設定」→「コントロールセンター」を開いたら下の方にスクロールし、「時計のオプション」ボタンをクリックする。

2 時報をアナウンスをオンにする

「時報をアナウンス」をオンにし、その下の「間隔」で1時間／30分／15分から選択すると、指定した間隔ごとに時報を音声でアナウンスしてくれる。

10 クイックアクションで写真やPDFを編集する

アプリを開かずに さまざまな操作を実行

　Macには、PDFの作成やイメージの回転といった特定の操作を、アプリを開くことなくFinderやデスクトップから直接実行できる「クイックアクション」機能が用意されている。ファイルを右

クリックして「クイックアクション」メニューから操作を選択しよう。選択したファイルによって表示されるメニューは異なるほか、「システム設定」→「プライバシーとセキュリティ」→「機能拡張」→「Finder」で利用したいクイックアクションが有効になっている必要がある。

クイックアクションを有効にする

「システム設定」→「プライバシーとセキュリティ」→「機能拡張」→「Finder」で、利用したいクイックアクションにチェックしておこう。

複数のPDFや画像を PDFにまとめる

複数のPDFや画像を選択して、右クリックメニューから「クイックアクション」→「PDFを作成」をクリックすると、ひとつのPDFファイルに結合できる。

画像を開かず 向きを回転させる

画像を選択して「反時計回りに回転」(または「option」キーを押しながら「時計回りに回転」)をクリックすると画像を回転できる。複数の画像を選択して、まとめて処理することも可能だ。

写真の被写体を 切り抜く

写真を選択して「背景を削除」をクリックすると、人や動物などの被写体が自動で切り抜かれ「○○の背景が削除されました」という名前で保存される。複数の写真を選択して、まとめて処理することも可能だ。

11 壁紙の写真を時間とともに自動で切り替える

フォルダやアルバムを 追加して自動切り替え

　デスクトップの壁紙は「システム設定」→「壁紙」で変更可能だ。保存した写真や画像を壁紙にしたい場合は、「写真を追加」や「フォルダまたはアルバムを追加」から選択しよう。追加した写真やフォルダ、アルバムはウインドウ下部に表示され、左端のローテーション(回転マーク)ボタンをクリックすると、指定した間隔(5秒～1日ごと)でフォルダやアルバム内の画像が切り替わって表示される。

1 壁紙の設定でフォルダや アルバムを追加

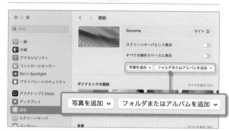

「システム設定」→「壁紙」にある「写真を追加」や「フォルダまたはアルバムを追加」をクリックし、壁紙にしたい画像が入ったフォルダやアルバムを追加する。

2 自動切り替えをオンにし 切り替える間隔を設定

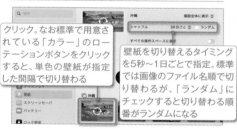

クリック。なお標準で用意されている「カラー」のローテーションボタンをクリックすると、単色の壁紙が指定した間隔で切り替わる

壁紙を切り替えるタイミングを5秒～1日ごとで指定。標準では画像のファイル名順で切り替わるが、「ランダム」にチェックすると切り替わる順番がランダムになる

追加した写真やフォルダ、アルバムのローテーションボタンをクリックし、上部の「シャッフル」で切り替える間隔を指定すれば、壁紙が自動で切り替わる。

12 デスクトップをスタック機能で整理する

ファイルを自動で グループ化する

　デスクトップの「スタック」機能を有効にすると、デスクトップ上のファイルを種類(画像やPDFなど)や日付(作成日や最後に開いた日など)、Finderのタグでグループ化して表示できるようになる。デスクトップに大量のファイルをちらかしがちな人は、この機能で整理してデスクトップをスッキリした状態に保とう。まとめられたスタックは、クリックすると展開して個別に確認できる。

1 スタックを有効にし タイプを選択

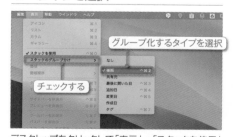

デスクトップをクリックして「表示」→「スタックを使用」にチェック。続けて「スタックのグループ分け」でグループ化するタイプにチェックする。

2 同タイプのファイルが まとめて表示される

スタックをクリックすると展開して個別のファイルを表示できる

たとえば種類でグループ分けすると、イメージやPDF書類などファイルの種類ごとにまとめて表示される。クリックすると展開して個別のファイルを確認できる。

13 Appleへの支払いをPayPayやキャリア決済にする

アプリ購入時などの支払い方法を追加する

Macでアプリを購入したりiCloud+などを利用する際は、登録したクレジットカードや、コンビニなどで購入できるApple Gift Cardでチャージした金額から支払うほかにも、QRコード決済

サービスの「PayPay」で支払ったり、docomoやau、SoftBankの月々の利用料と合算して支払う「キャリア決済」も利用できる。ただしキャリア決済を利用するには、iPhoneで通信プランを契約しており、同じApple IDでサインインしたiPhone側で支払い方法をキャリア決済に変更する必要がある。

優先する支払い方法を変更する

Macでは、お支払い方法のリストの上から順番に決済が実行される。優先する支払い方法を変更したい場合は、各支払い方法にポインタを合わせて、表示される矢印ボタンをクリックしてリストの上下を入れ替えればよい。

1 お支払い方法の管理画面を開く

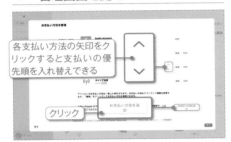

App Storeを起動してユーザ名をクリックし、「アカウント設定」をクリックしてApple IDでサインイン。続けて「お支払い方法を管理」→「お支払い方法を追加」をクリックする。

2 PayPayを支払い方法に追加する

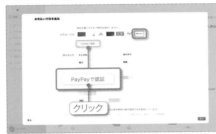

「お支払い方法」欄でPayPayのロゴを選択し、「PayPayで認証」をクリック。表示されるQRコードをPayPayアプリでスキャンすれば、アカウントが連携され支払い方法としてPayPayを利用可能になる。

3 キャリア決済を支払い方法に追加する

キャリア決済はiPhoneでの設定が必要。iPhoneの「設定」で一番上のApple IDをタップし、「お支払いと配送先」→「お支払い方法を追加」→「キャリア決済」を選択したら「この携帯電話番号を使用する」にチェックしよう。

---

14 壁紙をクリックしてデスクトップを素早く表示

開いているアプリやフォルダを画面外に隠す

Macでは、壁紙をクリックするだけで、開いているアプリやフォルダを一時的に画面外へ隠して、デスクトップのみを瞬時に表示できる。もう一度壁紙をクリックすると元に戻る。なお、「システム設定」→「デスクトップとDock」→「壁紙をクリックしてデスクトップを表示」の右にある「常に」を「ステージマネージャ使用時のみ」に変更すると、この機能をオフにできる（ステージマネージャ使用時はオフにできない）。

1 壁紙部分をクリックする

アプリやフォルダを開いて作業中に、デスクトップ上に配置したファイルやウィジェットを確認したり操作したくなったら、背後の壁紙部分をクリックしてみよう。

2 デスクトップのみ瞬時に表示される

アプリやフォルダが一時的に画面外に隠れて、デスクトップのみが瞬時に表示される。もう一度壁紙をクリックすると、開いていたアプリやフォルダが元の状態に戻る。

---

15 メニューバーの時刻に秒も表示させる

「時:分:秒」の表示に変更できる

Macでは、メニューバーの右上に時刻が表示されている。この表示形式はデフォルトだと「時:分」だが、「時:分:秒」の秒数まで表示させることも可能だ。「システム設定」→「コントロールセンター」を開き、下の方にスクロールして「メニューバーのみ」欄にある「時計のオプション」をクリック。「秒を表示」のスイッチをオンにしよう。これで、メニューバー上の時刻が秒数まで表示されるようになる。

1 時計のオプションをクリックする

「システム設定」→「コントロールセンター」を開いて下の方にスクロールし、「メニューバーのみ」欄にある「時計のオプション」ボタンをクリックする。

2 「秒を表示」をオンにする

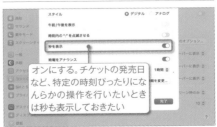

開いた画面で「秒を表示」のスイッチをオンにし、「完了」をクリック。これで、メニューバー上の時刻が「時:分:秒」表示になり、秒まで正確に確認できるようになる。

iPhoneのウィジェットも利用できる

デスクトップに ウィジェットを配置する

デスクトップで素早く 予定などを確認できる

Macでは、アプリが備える特定の機能を表示したり素早く呼び出せるパネル状のツール、「ウィジェット」を配置できる。アプリを起動しなくても、カレンダーの予定を確認したり、天気予報などをチェックできるのだ。このウィジェットは、従来はメニューバー右上の日時をクリックすると表示される「通知センター」にしか配置できなかった。しかし現在は、デスクトップ上の好きな場所に配置したり、同じApple IDでサインインしたiPhoneのウィジェットをMacで利用することも可能だ。デスクトップ上のウィジェットは、アプリの起動中は半透明で薄く表示されるため、操作の邪魔になることはない。アプリごとにサイズや機能の異なるウィジェットが複数用意されているので、自分で使いやすいように組み合わせて配置しよう。

ウィジェット対応 アプリの探し方

標準アプリだけでなく、サードパーティー製のウィジェットも利用可能だ。ウィジェット機能を備えたアプリを探すには、MacのApp Storeで「ウィジェット」や「Widget」をキーワードに検索すればよい。

「ウィジェット」や「Widget」で検索

"ウィジ

ウィジェットを追加する手順

通知センターから追加する

クリック

通知センターにウィジェットを配置したいときは、通知センターの一番下にある「ウィジェットを編集」をクリックしよう。ウィジェットギャラリーが開く。

デスクトップから追加する

クリック

ウィジェットギャラリーはデスクトップから開くこともできる。デスクトップの空いたスペースを右クリックし、「ウィジェットを編集」をクリックしよう。

ウィジェットギャラリーでウィジェットを選択する

不要なウィジェットを削除する

ウィジェット対応 アプリを選択

通知センターのウィジェットをドラッグしてデスクトップに配置することもできる

ウィジェットのサイズを選択し、ドラッグして好きな場所に配置できる。配置場所にファイルやフォルダがある場合は自動的に移動してスペースが作られる

通知センターの「ウィジェットを編集」でウィジェットギャラリーを開いた場合は、通知センターにウィジェットを配置できる

iPhoneのウィジェットを追加する

1 iPhoneの ウィジェットを探す

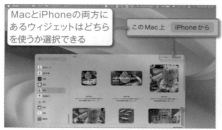

MacとiPhoneの両方にあるウィジェットはどちらを使うか選択できる

ウィジェットギャラリーで「iPhoneから」と表示されていればiPhoneのウィジェットだ。MacとiPhoneの両方にあるウィジェットの場合は、「このMac上」ではなく「iPhoneから」をクリックする。

2 iPhoneの ウィジェットを配置する

iPhoneのウィジェットをクリックしてもアプリは起動せず、iPhone側での操作が求められる

iPhoneアプリのウィジェットを配置しておこう。たとえば通信キャリアのウィジェットでiPhoneの残りデータ量を把握したり、乗換案内のウィジェットで指定した路線の発車時刻などをMacの画面で確認できる。

POINT

ウィジェットを配置できない場合

ウィジェットをデスクトップに配置できなかったり、iPhoneのウィジェットを選択できないときは、「システム設定」→「デスクトップとDock」を開き、ウィジェット欄の「ウィジェットを表示」や「iPhoneウィジェットを使用」の項目がオンになっているか確認しよう。

それぞれ有効にしておく

012

使い勝手を左右する設定を見直そう
あらかじめチェックしておきたいシステム設定のポイント

1 自動スリープまでの時間とスリープ中の挙動を設定

省電力やセキュリティを考慮して設定する

Macは一定時間画面を操作しないと自動的にディスプレイがオフになりスリープする。無用なバッテリー消費を抑えるとともにセキュリティにも配慮した仕組みだが、すぐに消灯すると使い勝手が悪い。省電力やセキュリティ、自分の利用スタイルなどのバランスを考えて設定しよう。またスリープ中でもメールやメッセージを受信し、Macを最新の状態に保つ設定も用意されている。

1 自動でスリープするまでの時間を変更する

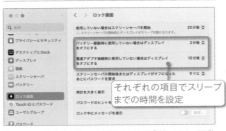

「システム設定」→「ロック画面」にある「バッテリー駆動時に〜」と「電源アダプタ接続時に〜」で、それぞれ自動スリープまでの時間を設定しよう。

2 スリープ中もMacを最新の状態に保つ

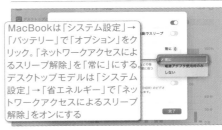

MacBookは「システム設定」→「バッテリー」で「オプション」をクリック。「ネットワークアクセスによるスリープ解除」を「常に」にする。デスクトップモデルは「システム設定」→「省エネルギー」で「ネットワークアクセスによるスリープ解除」をオンにする

スリープ中でもメールやメッセージを受信するには、バッテリーや省エネルギーの設定で「ネットワークアクセスによるスリープ解除」を有効にしておく。

2 画面の色合いや明るさに関する設定をチェック

画面の黄色っぽさや急に暗くなるのを防ぐ

Macは「True Tone」機能により、周辺の環境光を感知して色と明度を自動で調整するが、特に室内では画面が黄色っぽい暖色系になる傾向がある。気になる場合は機能をオフにしよう。またMacBookの場合は、電源アダプタ接続からバッテリー使用に切り替えると、標準ではバッテリー節約のためディスプレイが少し暗くなるように設定されている。明るさの変化が気になるようなら機能をオフにしよう。

1 画面が黄色っぽくなるのを防ぐ

「システム設定」→「ディスプレイ」にある「True Tone」をオフにすると黄色っぽさが消え、青味がかったクールな色合いになる。

2 電源アダプタを外した際に画面を暗くしない

「システム設定」→「バッテリー」で下の方にある「オプション」をクリック。「バッテリー使用時はディスプレイを少し暗くする」をオフにする

MacBookでバッテリー使用時に画面が暗くなるのを防ぐには、バッテリーの設定で「バッテリー使用時はディスプレイを少し暗くする」をオフにすればよい。

3 夜間はディスプレイを目に優しいカラーにする

夜間はダークモードに自動で切り替える

Macは外観モードを明るい「ライトモード」と暗い「ダークモード」から選択できる。黒をベースとした色調のダークモードは、ライトモードと比べ目が疲れにくく、バッテリー消費も少し抑えられるのがメリットだ。外観モードは「システム設定」→「外観」で切り替えでき、「自動」にすると日の入り時刻に自動でダークモードになる。自動で切り替えるタイミングは「システム設定」→「ディスプレイ」→「Night Shift」で変更できる。

1 外観モードを設定する

「自動」を選択。なお「自動」では、Macが1分以上待機状態になるまで外観が切り替わらない

「システム設定」→「外観」で外観モードを「ライト」か「ダーク」に切り替えできるほか、「自動」にすると夜間は自動的にダークモードになる。

2 ダークモードにする時間帯を指定する

自動でダークモードにする時間帯を指定する

「システム設定」→「ディスプレイ」→「Night Shift」で「スケジュール」を「カスタム」にすると、自動でダークモードに切り替える時間帯を自由に指定できる。

4 トラックパッドやマウスのジェスチャを適切に設定する

トラックパッドやマウスの操作を自分好みにカスタマイズ

　Macのトラックパッドやマウス（特にMagic Mouse利用時）には、キーボードなしで快適に操作するためのさまざまなジェスチャが割り当てられている。ただ用意されているジェスチャが豊富な分、誤操作が発生しやすいジェスチャや、操作に違和感を覚えるジェスチャもある。そんな時は「システム設定」→「トラックパッド」や「マウス」の画面を確認して、自分で使いやすい設定に変更しておこう。ここではトラックパッドの設定画面を例に、確認しておきたい主な項目を紹介する。

誤操作しやすいジェスチャを無効にする

「ポイントとクリック」タブの「タップでクリック」をオフ

「スクロールとズーム」タブの「スマートズーム」をオフ

トラックパッドの場合、軽くタップするだけでクリックになる「タップでクリック」や、2本指を2回タップで拡大する「スマートズーム」は、誤操作しやすいのでオフがおすすめ。

ジェスチャとスクロールの方向を同方向にする

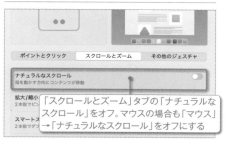

「スクロールとズーム」タブの「ナチュラルなスクロール」をオフ。マウスの場合も「マウス」→「ナチュラルなスクロール」をオフにする

指を動かす方向と画面のスクロール方向を同じにしたい場合は、「ナチュラルなスクロール」をオフにしよう。

右クリックのジェスチャを変更する

「ポイントとクリック」タブの「副ボタンのクリック」で操作の割り当てを変更。右クリックは「control」＋クリックで操作しているなら「オフ」にしてもよい。マウスの場合は「マウス」→「副ボタンのクリック」で割り当てを左クリックに変更できる

標準では2本指のクリックが右クリック（副ボタン）の操作になるが、トラックパッドの右下隅や左下隅クリックを右クリックに割り当てることもできる。

5 ディスプレイの広さを変更する

画面の解像度を変更する

　見づらい文字やアイコン大きく表示したい場合や、もっと画面を広く使いたい場合は、画面の解像度を変更してみよう。「システム設定」→「ディスプレイ」で「文字を拡大」を選ぶと、画面の文字やアイコンは大きくなるが1画面に表示できる情報やウインドウは少なくなる。「スペースを拡大」を選ぶと画面の文字やアイコンなどは小さく表示されるが、1画面に表示できる情報やウインドウが多くなる。

1 「ディスプレイ」設定で解像度を変更する

左のほうを選ぶと文字やアイコンサイズが大きくなり、右の方を選ぶと画面を広く使える

「システム設定」→「ディスプレイ」で画面の解像度を変更できる。4～5段階で変更できるので、好きな解像度をクリックしよう。

2 文字サイズや画面の広さが変更される

解像度最小

解像度最大

解像度を最小にした場合と最大にした場合では、画面の見え方がこれくらい変わる。自分で使いやすい解像度に調整しておこう。

6 iCloudにデスクトップと書類を保存しないようにする

iCloudの空き容量が足りない時はオフに

　iCloud Driveの設定で「"デスクトップ"フォルダと"書類"フォルダ」がオンだと、「デスクトップ」や「書類」フォルダに作成したファイルの保存先がiCloud Driveに変更される（No034で解説）。他のデバイスからMacのファイルにアクセスできるようになって便利だが、デスクトップに大量のファイルを置いていると容量が不足しがちなので、iCloud Driveの空き容量が足りない時は機能をオフにしておこう。

1 システム設定のiCloud Driveをクリック

クリック

「システム設定」で一番上のApple IDをクリックし、「iCloud」→「iCloud Drive」をクリックする。

2 デスクトップと書類の同期をオフにする

オフにすると「デスクトップ」と「書類」フォルダの中身が空になるが、iCloud Drive上にデスクトップや書類フォルダのデータが残っているので、Mac上へコピーし直せばよい

「"デスクトップ"フォルダと"書類"フォルダ」をオフにすると、デスクトップや書類フォルダの保存先が、iCloud DriveからMacのストレージに戻る。

7 通知音（警告音）の種類を変更する

誤った操作などの
警告音も変更できる

メールやFaceTimeの着信音ではなく、誤った操作を行った際などに鳴る通知音（警告音）は、「システム設定」→「サウンド」画面にある「通知音」で変更できる。通知音の音量も変更できるが、Macの主音量を基準とした音量なので、コントロールセンターなどで音量を上げると警告音の音量も上がる点に注意しよう。なお、起動時のサウンドやゴミ箱に入れる際の音を消すこともできる。

1 通知音の種類と音量を変更する

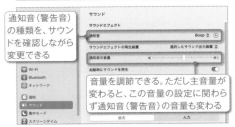

通知音（警告音）の種類を、サウンドを確認しながら変更できる

音量を調節できる。ただし主音量が変わると、この音量の設定に関わらず通知音（警告音）の音量も変わる

「システム設定」→「サウンド」の「通知音」欄で通知音（警告音）の種類を変更できる。その下のスライダーで音量も調節可能だ。

2 起動時やゴミ箱に入れる際の音をオフ

それぞれオフにする

「起動時にサウンドを再生」をオフにすると起動時の音が鳴らない。「ユーザインターフェイスの〜」をオフにするとゴミ箱に入れる音やスクリーンショットの音が消える。

8 macOSの自動アップデートをオフにする

内容を確認してから
アップデートしたい場合に

Macの基本ソフトであるmacOSは、定期的に不具合を解消したり新機能を追加したアップデートが配信される。基本的に現在のmacOSを改善するためのプログラムなので、早めにアップデートを済ませた方が良い場合が多い。標準ではアップデートが配信されると自動的にダウンロードが開始され、電源アダプタが接続されている時に自動でインストールされる設定になっている。ただ、特に大型のアップデートの配信直後だと、環境によってはトラブルが発生することもある。すでに最新アップデートを済ませた人の不具合報告などを確認してからインストールを開始したい慎重派は、自動アップデートの機能をオフにしておこう。アップデートのダウンロードだけ済ませておき、自分のタイミングで手動アップデートできる。

1 アップデートの設定で「i」をクリック

クリック

アップデートの設定を変更するには、「システム設定」→「一般」→「ソフトウェアアップデート」で「自動アップデート」欄にある「i」をクリック。

2 自動インストールの設定をオフにする

オフにする

「macOSアップデートをインストール」だけオフにしておけば、アップデートは自動でダウンロードされ、インストールを自分のタイミングで行える。

POINT

セキュリティ更新は自動インストールのままで

自動アップデートの設定欄でオフにするのは「macOSアップデートをインストール」だ。アプリの更新も手動で行いたいなら「App Storeからの〜」もオフにしよう。なお、「セキュリティ対応とシステムファイルをインストール」はオンのままが推奨される。「アップデートを確認」と「新しいアップデートがある場合はダウンロード」もオンでよい。

9 デフォルトのWebブラウザを変更する

インストール済みの
Webブラウザに変更できる

Windowsやスマートフォンで他のWebブラウザを使い慣れているなら、Macのデフォルトのウェブブラウザを変更することも可能だ。たとえばデフォルトのWebブラウザをGoogle Chromeにすれば、メールやX（旧Twitter）でURLをクリックするとSafariではなくChromeが起動する。またHandoff機能（No033の記事1で解説）により、MacのChromeで開いたWebサイトをiPhoneのSafariに引き継ぐといったこともできる。

デフォルトにするWebブラウザを選択

デスクトップとDockで変更できる

「システム設定」→「デスクトップとDock」を開き、「デフォルトのWebブラウザ」のメニューをクリック。インストール済みのWebブラウザが一覧表示されるので、デフォルトのWebブラウザとして利用したいものを選択しよう。

10 30日後にゴミ箱からファイルを自動削除する

Finderで自動削除を有効にしておこう

不要なファイルを削除してもゴミ箱を空にするのを忘れていると、気付けばゴミ箱だけでストレージの空き容量を圧迫していることがある。ストレージ容量を無駄に消費しないように、Finderの設定で「30日後にゴミ箱から項目を削除」を有効にしておこう。ゴミ箱に入れて30日経過したファイルが自動で削除されるようになる。なおiCloud Driveからゴミ箱に入れたファイルは、Finder設定に関係なく30日後に自動で削除される。

Finder設定の詳細画面を開く

チェックする

Finderの「Finder」→「設定」→「詳細」画面を開き、「30日後にゴミ箱から項目を削除」にチェックすると、ゴミ箱の自動削除が有効になる。

---

11 アプリ起動時に前回使っていたウインドウを開く

アプリ起動時の動作を変更できる

アプリを起動する際に、前回終了時に開いていたウインドウも一緒に開くようにしたいなら、「システム設定」→「デスクトップとDock」を開いて「アプリケーションを終了するときにウインドウを閉じる」をオフにしておこう。前回作業していたウインドウが復元され素早く再開できる。アプリ起動時にいちいち元のウインドウが開くのがわずらわしいなら、スイッチをオンにしておけばよい。

オフにする

デスクトップとDockでスイッチをオフ

「システム設定」→「デスクトップとDock」を開いて「アプリケーションを終了するときにウインドウを閉じる」のスイッチをオフにしておくと、アプリを起動した時に前回開いていたウインドウも一緒に復元される。オンにすると、アプリを終了した時点で開いていたウインドウは閉じて次回起動時に復元されない。

---

12 確認しておきたいその他の設定項目

バッテリー残量やスペックの調べ方もチェック

他にもチェックしておくべき設定をまとめて紹介しよう。まず、Macのバッテリー残量が数値ではっきり分かるように、「システム設定」→「コントロールセンター」で「割合（％）を表示」をオンにしておこう。メニューバーにバッテリー残量が％で表示されるようになる。また、今使っているMacがどのようなスペックか確認したい時は、「システム設定」→「一般」→「情報」をチェック。モデル名や搭載チップ、メモリ、ストレージなどの情報を確認できる。さらに一番下の「システムレポート」をクリックすると、ハードウェアやネットワークなどのあらゆるシステム情報を詳細に確認できる。探している設定がどの画面にあるか分からない場合は、「システム設定」の左メニュー上部に用意されている検索ボックスを利用しよう。キーワードで検索すると、検索結果からキーワードを含む設定項目を開くことができる。

バッテリー残量を数値でも表示する

100%

オンにする

「システム設定」→「コントロールセンター」で「割合（％）を表示」をオンにすると、メニューバーにバッテリー残量が％で表示されるようになる。

ハードウェアのスペックを確認する

「システム設定」→「一般」→「情報」画面の一番下にある「システムレポート」をクリックすると、Macの詳細なスペックを確認できる。

設定項目をキーワード検索する

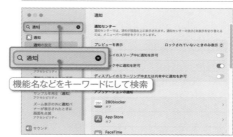

機能名などをキーワードにして検索

「システム設定」で目的の設定がどこにあるかわからない時は、画面左上の検索ボックスでキーワード検索を行える。

013

ファイル操作

覚えておくと便利なファイル操作テク

Finderとファイル操作を
より快適にする便利技

1 新規Finderウインドウをデスクトップに変更する

新規Finderで表示する
フォルダは変更できる

新規Finderウインドウを開くと、デフォルトでは「最近の項目」フォルダが表示されるが、Macでよく扱うファイルをほとんどデスクトップに保存しているなら、Finderでも最初から「デスクトップ」が開いたほうが実用的だ。Finderのメニューバーから「Finder」→「設定」→「一般」画面を開き、「新規Finderウインドウで次を表示」のメニューを「デスクトップ」に変更しておこう。

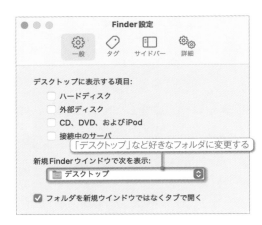

Finder設定で好きな
フォルダを指定する

Finderのメニューバーで「Finder」→「設定」→「一般」画面を開き、「新規Finderウインドウで次を表示」のドロップダウンメニューをクリックして「デスクトップ」に変更しておこう。新規Finderで開いた時に開くフォルダはデスクトップだけでなく、書類やiCloud Drive、その他好きなフォルダを自由に指定できる。

2 アイコンプレビューと拡張子を有効にする

どちらも表示させて
おくのがおすすめ

Finderがアイコン表示の時はファイルがサムネイルで表示され、特に画像ファイルは何の画像かひと目で認識できる。このサムネイルが表示されないフォルダは、Finderの表示オプションで「アイコンプレビューを表示」のチェックを確認しよう。また標準ではファイルの拡張子が表示されず、同じファイル名でファイル形式が異なる場合などに区別できず不便だ。拡張子はすべて表示させておこう。

アイコンプレビューを
有効にする

Finderの「表示」→「表示オプションを表示」をクリックし、「アイコンプレビューを表示」にチェックすると、ファイルの中身がサムネイルで表示される。

ファイル名に拡張子を
表示させる

Finderの「Finder」→「設定」→「詳細」画面を開き「すべてのファイル名拡張子を表示」にチェックしておくと、ファイル名に拡張子が表示される。

3 フォルダを新規ウインドウで開く

タブではなく
ウインドウで開くには

フォルダを右クリックして「新規タブで開く」をクリックすると新規タブ（記事15で解説）で開くが、新規ウインドウで開きたいなら、右クリックした際に「option」キーを押そう。「新規タブで開く」が「新規ウィンドウで開く」に変わる。なお、右クリックメニューを最初から「新規ウィンドウで開く」にするには、Finderの設定で「フォルダを新規ウインドウではなくタブで開く」のチェックを外せばよい。

1 optionキーで
メニューを切り替える

フォルダを右クリックしてoptionキーを押し、「新規ウインドウで開く」をクリックすると、フォルダを新規ウインドウで開くことができる。

2 Finderの設定を
変更する

「Finder」→「設定」→「一般」で「フォルダを新規ウインドウではなくタブで開く」のチェックを外すと、右クリックメニューが最初から「新規ウインドウで開く」になる。

4　クイックルックでファイルの内容を素早く確認

ほとんどのファイルの内容を手軽に確認できる

ファイルの中身をサッと確認したい時に便利な機能が「クイックルック」だ。ファイルを選択した状態で「スペース」キーを押すだけで、画像や動画、オフィス文書、PDFなどさまざまなファイルの中身をプレビュー表示してくれる。カーソルキーを押せば同じフォルダ内のファイルを次々にクイックルックできるほか、通常は一度取り出さないと開けないゴミ箱内のファイルもクイックルックで確認できる。

1　ファイルを選択してスペースキーを押すだけ

ファイルの中身がクイックルックで表示される。カーソルキーを押せば上下左右のファイルを次々に表示できる

ファイルを選択してスペースキーを押す

ファイルを選択して「スペース」キーを押すだけで、そのファイルの内容をクイックルックで表示できる。

2　ゴミ箱内のファイルもクイックルックできる

ゴミ箱内のファイルを選択してスペースキーを押す

ゴミ箱に入れたファイルは、一度他のフォルダなどに移動しないとダブルクリックで開くことができないが、クイックルックを使えば中身を確認できる。

5　Finderウインドウのツールバーを編集する

ツールバーに表示されるボタン類をカスタマイズ

Finderウインドウのツールバーに配置されている、表示形式の切り替えボタンや検索欄などの項目は、自由に並べ替えたり新しい項目を追加できる。ツールバーを右クリックして「ツールバーをカスタマイズ」をクリックすると追加できる項目が一覧表示されるので、追加したいものをドラッグ&ドロップでツールバーに配置しよう。ツールバーの項目をツールバーの外にドラッグすると削除できる。

1　ツールバーのカスタマイズ画面を開く

クリック

Finderウインドウを開き、ツールバーを右クリックして「ツールバーをカスタマイズ」をクリックすると編集画面が表示される。

2　ツールバーの項目を追加したり並べ替える

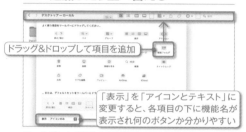

ドラッグ&ドロップして項目を追加

「表示」を「アイコンとテキスト」に変更すると、各項目の下に機能名が表示され何のボタンか分かりやすい

ツールバーに表示したい項目をツールバー上にドラッグ&ドロップして追加しよう。ツールバーの項目をツールバーの外にドラッグすると削除できる。

6　Finderウインドウのサイドバーを編集する

サイドバーに表示される項目をカスタマイズ

Finderウインドウのサイドバーには「よく使う項目」や「iCloud」、「場所」といった項目が表示されている。これらの項目も自由にカスタマイズが可能だ。Finderのメニューバーから「Finder」→「設定」で「サイドバー」画面を開き、あまり使わない項目のチェックを外しておけばサイドバーの表示がスッキリする。また、よく使うフォルダが深い階層にあってアクセスが面倒な時は、フォルダをサイドバーの「よく使う項目」欄にドロップしておこう。ワンクリックでフォルダを開くことができるようになる。そのほか、DropboxやGoogleドライブなどインストールしたクラウドサービスの同期フォルダや、Finderの「移動」→「サーバへ接続」で追加したFTPサーバなどは、「場所」欄に項目が追加され簡単にアクセスできるようになっている。Dropboxなどのフォルダを「よく使う項目」欄に追加することももちろん可能だ。

1　サイドバーに表示する項目を整理する

あまり使わない項目はチェックを外して非表示にする

Finderのメニューバーから「Finder」→「設定」で「サイドバー」画面を開き、サイドバーに表示したい項目のみチェックを入れておこう。

2　サイドバーの項目を手動で編集する

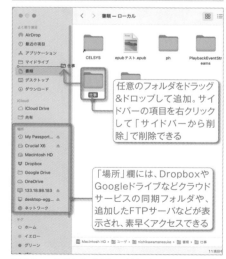

任意のフォルダをドラッグ&ドロップして追加。サイドバーの項目を右クリックして「サイドバーから削除」で削除できる

「場所」欄には、DropboxやGoogleドライブなどクラウドサービスの同期フォルダや、追加したFTPサーバなどが表示され、素早くアクセスできる

任意のフォルダをサイドバーに追加するには、フォルダを「よく使う項目」にドラッグ&ドロップすればよい。

7 ファイルもショートカットキーでコピペできる

Finderのファイル操作も
ショートカットで効率化

「command」+「C」でコピーして「command」+「V」でペーストするいわゆる「コピペ」は、テキストの編集でよく使う操作だが、ファイルやフォルダに対しても利用できる。ペーストを「command」+「Z」で取り消したり、取り消したペーストを「shift」+「command」+「Z」でやり直すことも可能。ショートカットキーを使えば、複数のファイルを素早く効率的に操作できるので覚えておこう。

Finder内のファイルに使える主なショートカット

ファイルをコピー

コピーしたファイルをペースト

すべてを選択

ファイルを複製

操作の取り消し

取り消した操作のやり直し

コピーやペースト、すべてを選択、取り消し、やり直しといった基本ショートカットのほか、「option」キーを押しながらファイルをドラッグすると、ファイル名末尾に番号（「○○○ 2」など）を追加して複製できる。なお、「command」+「X」ではファイルの切り取りを行えないので、「option」+「command」+「V」を利用しよう（記事8で解説）。

8 ファイルをカット&ペーストする

「command」+「X」
では切り取りできない

ファイルを他のフォルダや階層に移動させるには、Windowsなら「ctrl」+「X」で切り取って「ctrl」+「V」で貼り付けるカット&ペーストが便利だが、Macでは「command」+「X」でファイルやフォルダの切り取りができない。Macでカット&ペーストのような操作を行うには、「command」+「C」でコピーして、「option」+「command」+「V」でペーストすれば、元のファイルが削除され、カット&ペーストと同じ結果になる。

1 まずファイルをコピーする

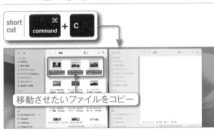

移動させたいファイルをコピー

ファイルをカット&ペーストするには、まず移動させたいファイルを選択して「command」+「C」でコピーしよう。

2 コピーしたファイルをペーストする

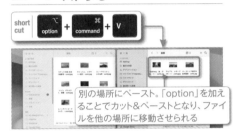

別の場所にペースト。「option」を加えることでカット&ペーストとなり、ファイルを他の場所に移動させられる

ペーストしたい場所で「option」+「command」+「V」を押す。すると、ファイルがペーストされると同時に元のファイルが削除され、実質カット&ペーストしたのと同じ状態になる。

9 圧縮と解凍に関する便利技

アーカイブユーティリティ
を使いこなそう

macOSは標準でファイルの圧縮や解凍に対応しており、複数ファイルを選択して右クリックすることでまとめてzipに圧縮したり、zipファイルをダブルクリックするだけで解凍できる。た

だ、標準アプリの「アーカイブユーティリティ」を使えば、もっと多彩な圧縮や解凍方法を選べるので覚えておこう。たとえば、zipファイルを解凍後に自動でゴミ箱に移動したり、複数選択したファイルをまとめて圧縮するのではなくそれぞれ個別のzipファイルに圧縮するといった設定が可能だ。

アーカイブユーティリティの起動方法

「アーカイブユーティリティ」はLaunchpadにないので、Spotlightで検索して起動しよう。また複数ファイルの個別圧縮を利用するためにDockに登録しておくのがおすすめ。

クリック

**1 アーカイブユーティリティ
の設定を開く**

クリック

Spotlightでアーカイブユーティリティを検索して起動したら、メニューバーの「アーカイブユーティリティ」→「設定」をクリックする。

**2 解凍後のzipファイルを
自動でゴミ箱に入れる**

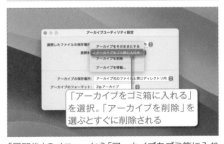

「アーカイブをゴミ箱に入れる」を選択。「アーカイブを削除」を選ぶとすぐに削除される

「展開後」のメニューから「アーカイブをゴミ箱に入れる」を選択しておくと、解凍したあとのzipファイルを自動でゴミ箱に入れる。

**3 複数選択したファイルを
個別に圧縮する**

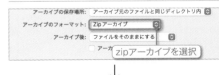

zipアーカイブを選択

↓

複数ファイルをアーカイブユーティリティにドロップ

「アーカイブのフォーマット」を「ZIPアーカイブ」にし、複数のファイルをDockのアーカイブユーティリティにドロップすると、個別に圧縮される。

10 複数のファイルを簡単にフォルダにまとめる

フォルダ作成とファイル移動をワンクリックで実行

複数のファイルをフォルダにまとめるには、あらかじめ右クリックから新規フォルダを作成しておき、選択したファイルをフォルダ内にドラッグ&ドロップして移動させる手順が必要だ。しかし複数のファイルを選択した状態で右クリックし、「選択項目（○項目）から新規フォルダ」をクリックすれば、新規フォルダの作成とファイルの移動をワンクリックでまとめて行えるので覚えておこう。

1 複数ファイルを選択して右クリックする

複数のファイルを選択した状態で右クリックし、メニューから「選択項目（○項目）から新規フォルダ」をクリックする。

2 新規フォルダを作成してファイルが移動する

新規フォルダが作成され、選択したファイルが自動的に格納される。フォルダ名は「選択項目から作成したフォルダ」になるので変更しておこう。

11 エイリアスの実践的な活用法

複製とは違う便利な機能を使いこなそう

macOSの「エイリアス」とは、ファイルやフォルダの本体にアクセスするためのアイコンを作る機能だ。Windowsにおける「ショートカット」と同じ役割で、深い階層にあるファイルを素早く開くためにデスクトップに作成したり、ファイルやフォルダ本体を移動させずに別の仕分け方でフォルダにまとめておきたい際などに活用しよう。エイリアスを移動したり削除しても元のファイルには影響しない。

1 右クリックメニューからエイリアスを作成

ファイルやフォルダを右クリックして「エイリアスを作成」をクリックすると、このファイルやフォルダにアクセスできるエイリアスが作成される。

2 別々の場所のファイルをエイリアスでまとめよう

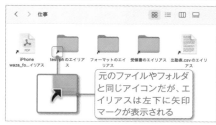

たとえば別々の場所にある資料や原稿、請求書などのエイリアスを作成すれば、元のファイルを動かさず「仕事」フォルダにまとめて整理できる。

12 開いているファイルの保存場所を確認する

ファイル名を右クリックしてフォルダを一覧表示

作業中のファイルの保存場所を確認したい時は、タイトルバーにあるファイル名部分を右クリックしてみよう。このファイルが格納されているフォルダが、上位階層を含めて一覧表示される。

このリストからフォルダを選択するとFinderで開く。アプリによっては、ファイル名の右に表示される「∨」ボタンをクリックして、保存場所を確認したり変更することも可能だ。なお、Finderの「＜」「＞」ボタンでフォルダの階層を移動できない時も、フォルダ名を右クリックすれば上位階層に戻ることができる。

最近の項目の確認に便利

Appleメニューの「最近使った項目」やFinderの「最近の項目」から開いたファイルは、この方法を使えば手軽に保存場所を確認したり表示できるので覚えておこう。

1 ファイル名を右クリックする

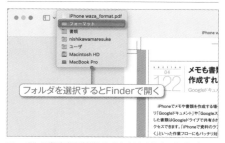

ファイルの保存場所が分からなければ、タイトルバーのファイル名を右クリックしてみよう。このファイルの保存場所が上位階層を含めて一覧表示される。

2 ファイル名右の「∨」からも確認できる

アプリによってはファイル名の右にある「∨」ボタンをクリックすると、「場所」欄でファイルの保存先を確認したり変更することもできる。

3 Finderのフォルダ名から階層を移動する

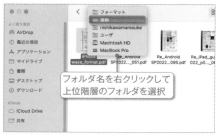

Finderの場合はフォルダ名を右クリックすると、同様に上位階層のフォルダが一覧表示される。上位階層のフォルダに戻りたい時に利用しよう。

13 ドラッグ&ドロップをキャンセルする

ファイルのドラッグ操作は簡単な操作で取り消せる

ファイルをドラッグ&ドロップで移動しようとして途中でやめたくなった場合は、いったん移動してから操作を取り消さなくても、ドラッグ操作をキャンセルする方法がいくつかあるので覚えておこう。ドラッグ操作中に「esc」キーを押すか、ドラッグ中のファイルを画面上部のメニューバーにドロップする。または、ウインドウのツールバーにドロップすればよい。ドラッグ中だったファイルは元の場所に戻る。

1 ファイルをドラッグ中に「esc」キーを押す

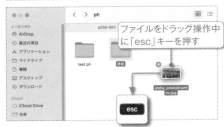

ファイルをドラッグ操作中にキャンセルしたくなったら、キーボードの「esc」キーを押せば、すぐにドラッグ中のファイルが元の場所に戻る。

2 メニューバーやツールバーにドロップ

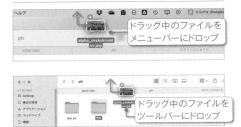

ドラッグ中のファイルをメニューバーやツールバーの空いたスペースにドロップすれば、同様にドラッグがキャンセルされファイルが元の場所に戻る。

---

14 パスバーやステータスバーを表示する

パスバーを表示する

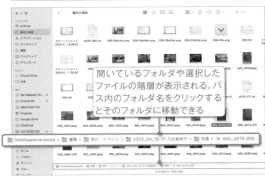

Finderのメニューバーから「表示」→「パスバーを表示」をクリックすると、表示中のフォルダや選択したファイルのパスが表示される。特に「最近の項目」で選択したファイルの場所を素早く確認できて便利だ。

ステータスバーを表示する

Finderのメニューバーから「表示」→「ステータスバーを表示」で、表示中のフォルダにある項目数や選択状態の項目数、およびストレージの空き容量が表示される。また、右端のスライダーでアイコンの大きさを調整することもできる。

---

15 複数のFinderウインドウをタブで管理する

複数のフォルダをタブで開いて切り替えできる

Finderで開いているフォルダを、Safariのようにタブで管理したいなら、Finderのメニューバーから「表示」→「タブバーを表示」をクリックしてタブバーを表示させよう。タブバーの右端に表示されている「+」ボタンをクリックすると新規タブが開いて表示が切り替わる。また、「command」+「T」キーを押せば、「タブバーを表示」を有効にしていなくてもすぐに新規タブが開く。フォルダを複数選択して右クリックから「新規タブを開く」を選択すると、選択したフォルダをまとめてタブで開くことができる。

タブを切り離す

タブはウインドウの外にドラッグすることで、別のウインドウとして表示することも可能だ。2つのウインドウを並べて比較したい場合などはこの方法で切り離そう。

タブをウインドウ外にドロップして切り離す

1 タブバーを表示する

Finderのメニューバーから「表示」→「タブバーを表示」をクリックすると、Finderウインドウの上部にタブバーが表示される。

2 新規タブの追加とタブの切り替え

タブバーの右端にある「+」ボタンをクリックすると新規タブが開く。開いたタブをクリックすると表示するフォルダの切り替えが可能だ。

3 複数のフォルダをまとめて新規タブで開く

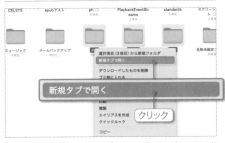

複数のフォルダを選択して「新規タブで開く」をクリックするか、「command」キーを押したままダブルクリックすると、まとめて新規タブで開くことができる。

16 フォルダの容量やファイル数を表示する

リスト表示やアイコン表示で表示オプションにチェック

Macでフォルダやファイルの容量を調べたい時は、フォルダやファイルを右クリックして「情報を見る」をクリックすれば詳細な情報を確認できるが、いちいち個別に表示するのは面倒だ。

Finderをリスト表示にした時にフォルダやファイルのサイズを確認できるように、表示オプションを変更しておこう。またFinderがアイコン表示の時は、フォルダ内の項目数や、画像のサイズ、動画の長さ、ストレージの容量などがアイコンの下に表示されるオプションも用意されている。

表示形式を切り替える

Finderウインドウの上部のボタンで、リスト表示やアイコン表示に切り替えてから、それぞれの表示オプションを有効にしよう。

左がアイコン表示、右がリスト表示

リスト表示でフォルダ容量を表示

チェックする

フォルダやファイルの容量が表示される

Finderをリスト表示にして、メニューバーの「表示」→「表示オプション」で「すべてのサイズを計算」にチェックしておこう。「サイズ」欄にフォルダやファイルの容量が表示されるようになる。

アイコン表示でファイル数を表示

チェックする

Finderをアイコン表示にして、メニューバーの「表示」→「表示オプション」で「項目の情報を表示」にチェックしておこう。フォルダアイコンに格納されているファイル数が表示されるほか、画像のサイズやストレージ容量なども表示される。

---

17 Finderを再起動する

ウインドウが固まったり動作が不安定なときは

Macを使っていると、フォルダをダブルクリックしても開かなくなったりアイコンが正しく表示されないなど、Finderの動作が不安定になることがある。そんな時は、Finderを一度再起動することで不具合が解消されることが多いので、操作方法を知っておこう。Finderを再起動してもまだ調子が悪い場合は、Mac本体を一度再起動することで直る場合が多いので試してみよう。

1 DockのFinderアプリから再起動する

「option」キー押しながら長押しして「再度開く」を選択

DockのFinderアプリを、「option」キー押しながら長押しし、開いたメニューで「再度開く」を選択するとFinderを再起動できる。

2 強制終了メニューから再起動する

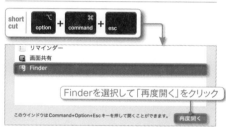

Finderを選択して「再度開く」をクリック

「option」+「command」+「esc」キーを押すか、Appleメニューから「強制終了」をクリック。「アプリケーションの強制終了」ウインドウでFinderを選択して「再度開く」でも再起動できる。

---

18 上や下の階層へ素早く移動する

キーボードショートカットで手軽に移動できる

Finderで一気に上の階層のフォルダまで戻りたい時は、フォルダ名の右クリックメニューから選択するのが手軽だが（記事12で解説）、ひとつ上や下の階層を開きたい時はキーボードショートカットで手軽に移動できるので覚えておこう。「command」+「↑」キーで、表示中のフォルダのひとつ上の階層に戻ることができる。また、「command」+「↓」キーで、選択したフォルダが開いてひとつ下の階層に進む。

1 フォルダを開いてキーを押す

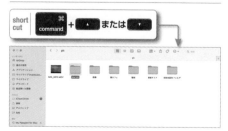

Finderでひとつ上か下の階層に移動したいだけなら、ショートカットキーを使うのが手軽だ。「command」+「↑」か「↓」キーを押そう。

2 ひとつ上や下の階層が素早く開く

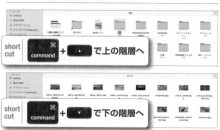

short cut command + ▲ で上の階層へ

short cut command + ▼ で下の階層へ

「command」+「↑」キーでひとつ上の階層に素早く戻る。「command」+「↓」キーで選択したフォルダが開いてひとつ下の階層に進む。

014

ファイル管理

スマートフォルダやタグ機能を使いこなそう

ファイルの管理を
スマートに行うテクニック

目的のファイルを
もっと見つけやすくする

　ファイル管理を極めたいなら、Finderの「スマートフォルダ」と「タグ」機能をマスターしておこう。スマートフォルダとは、Finderにおけるファイル検索（No015で解説）の結果をフォルダ化したような機能だ。スマートフォルダに検索条件を設定しておけば、その条件に合致するファイルを自動的に集めてくれるようになる。たとえば、「ファイル名に"スクリーンショット"の文字が含まれるPNG形式の画像」や「過去1ヶ月以内に作成したPDF」などの条件で該当するファイルを集めることが可能だ。なお、スマートフォルダはあくまで検索結果を表示しているだけ。そのため、スマートフォルダ自体を削除しても、該当するファイルの実体が消えるわけではない。

　もうひとつのタグ機能とは、ファイルやフォルダに特定のタグを付けて、分類できるようになる機能だ。たとえば、仕事やプライベートで重要となる書類に「重要」タグを付けておくと、ファイルがどこにあってもサイドバーの「重要」タグから見つけることができる。なお、タグの名前や色などは、自分で変更できるので使いやすいようにカスタマイズしておくといい。

検索した条件で項目を自動で集める「スマートフォルダ」

1 新規スマートフォルダを作成する

スマートフォルダを作りたい場合は、まずFinderの「ファイル」→「新規スマートフォルダ」を実行しよう。すると、新規スマートフォルダのウインドウが開く。

2 検索条件を設定して「保存」をクリック

保存

検索条件の設定方法はNo015で解説

スマートフォルダに集めるファイルの検索条件を設定しよう。検索欄にキーワードを入力、または「+」ボタンで検索条件を設定したら、「保存」をクリックする。

3 スマートフォルダの名前と場所を指定して保存

スマートフォルダの名前と保存場所を設定して「保存」をクリックする。「サイドバーに追加」にチェックを入れると、Finderウインドウのサイドバーに追加可能だ。

4 あとでスマートフォルダの検索条件を変更する

検索条件を表示

スマートフォルダを開く

あとでスマートフォルダの条件を変えたい場合は、スマートフォルダを開き、ツールバーの「…」ボタンから「検索条件を表示」を選択。検索条件を変更しよう。

タグ機能でファイルを管理する

1 Finder設定でタグの設定を行う

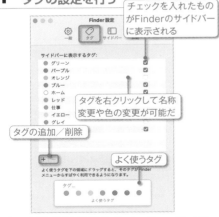

チェックを入れたものがFinderのサイドバーに表示される

タグを右クリックして名称変更や色の変更が可能だ

タグの追加／削除

よく使うタグ

まずは、タグを設定しておこう。Finderメニューバーから「Finder」→「設定」を選択。「タグ」画面で各種タグの名称や色の変更、Finderのサイドバーに表示するタグの設定、タグの追加／削除などが可能だ。また、よく使うタグ（7つまで設定できる）も設定しておこう。

2 ファイルにタグを付ける

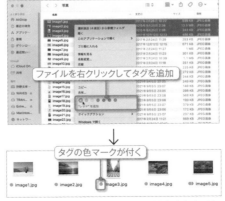

ファイルを右クリックしてタグを追加

↓

タグの色マークが付く

ファイルにタグを付ける場合は、ファイルを右クリックしてタグを選択すればいい。なお、タグは1つのファイルに対して複数付けることが可能だ。また、タグの付いたファイルは、タグの色マークが付くようになる。

3 Finderのサイドバーからタグの付いたファイルを表示

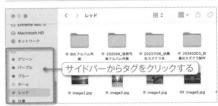

サイドバーからタグをクリックする

Finderウインドウのサイドバーからタグを選ぶと、そのタグが付いた項目が一覧表示される。これで特定のタグの付いたファイルを素早く見つけることが可能だ。

スマートフォルダとタグを組み合わせる

スマートフォルダの検索条件にタグを設定することで、2つの機能を組み合わせることが可能だ。なお、初期設定の状態だと、検索条件として「タグ」を選ぶことができない。その場合は、検索属性のドロップダウンメニューから「その他」を選び、「タグ」をメニューに表示しておこう。

015 検索

Finderの検索やSpotlight検索を使いこなそう
Mac上のファイルや各種情報を検索する

---

1 Finderの検索機能でファイルを検索しよう

Finderの検索機能を使って目的のファイルを探す

保存したファイルを探したいときは、Finderの検索機能を使おう。まずは、目的のファイルがありそうな特定のドライブやフォルダなどをFinderウインドウで開いておく。次に右上の検索欄に検索キーワードを入力して「return」キーを押せば、瞬時に検索が実行される。検索キーワードには、ファイル名だけでなく、書類内に記された文字も指定可能。また、画像検索にも対応しており、たとえば「花」と検索した場合は、花が撮影された写真や「花」という文字が書かれた画像を見つけ出せる。なお、ファイルの種類や最後に開いた日などの条件を追加して絞り込み検索を行えば、よりスムーズに目的のファイルを探し出せるので使いこなそう。

内包しているフォルダで表示する

検索結果一覧でファイルやフォルダを右クリックし、「内包しているフォルダで表示」を選択してみよう。すると、その項目が保存されているフォルダを直接開くことができる。検索されたファイルの保存先を開きたいときに活用しよう。

1 各種アプリで保存ダイアログを表示する

Finderウインドウで検索したい場所を開き、右上の虫眼鏡マークをクリック。検索キーワードを入力して「return」キーを押す。検索をファイル名のみに限定したい場合は、「名前に"○○○"を含む」を選択しておく。

2 検索の場所を指定する

検索結果が表示される。検索する場所は「このMac」もしくは先ほどFinderウインドウで開いた場所（上画像では「書類」フォルダ内）から選べる。「このMac」だと、外付けストレージも含めたMac全体から検索が可能だ。

3 検索条件を追加して絞り込む

検索キーワード入力欄の下にある「＋」をクリックすると、検索条件を追加することができる。たとえば、ファイルの「種類」を「書類」に限定する、といったことが可能だ。また、「option」キーを押すと「＋」ボタンが「…」ボタンに変わり、クリックすることで「次のいずれかの条件を満たす」、「次のすべての条件を満たす」、または「次のいずれの条件も満たさない」といった論理演算子（OR、AND、またはNOT）を使用して検索が行える。

---

2 Spotlight検索であらゆるデータを探し出す

どんな画面からでもすぐ呼び出せる検索機能

「Spotlight」とは、「command」＋「スペース」キーですぐに呼び出せる強力な検索機能だ。ファイルだけでなく、アプリやメール、ブックマーク、カレンダーのイベントなどあらゆる情報を探し出せる。たとえば、アプリを起動する場合、Launchpadを起動して目的のアプリを探すよりも、Spotlightでアプリ名を検索した方がスピーディだ。ただし、検索対象が広すぎて関係ない情報もヒットしがちなので、ファイルを探すだけならFinderの検索機能を使おう。

Spotlightで目的のデータを見つけ出す

メニューバー右上にある虫眼鏡ボタンをクリックするか、「command」＋「スペース」キーを押すと、Spotlightの検索画面が表示される。キーワードを入力すると、検索結果がカテゴリ別にリストアップされるので、カーソルキー上下で項目を選ぼう。「return」キーを押すかクリックすれば、その項目をすぐに開ける。

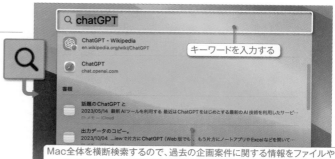

Mac全体を横断検索するので、過去の企画案件に関する情報をファイルやメール、ブックマークなどから洗いざらい探し出したいといった用途に向いている。検索結果を選択して「スペース」キーを押すとクイックルックで内容を表示可能だ。アプリ名で検索してアプリランチャーとして使うこともできる。なお、検索結果の項目をカーソルキー上下で選択し、「command」＋「return」キーを押すと、その項目をFinderで開ける

016

メニューバーやクイックアクションなどの項目をカスタマイズ

各種表示項目を
使いやすく変更する

よく使う項目を表示させておこう

デスクトップの上にあるメニューバーと右上に表示されるコントロールセンターは、表示する項目をカスタマイズ可能だ。よく使う項目は常に表示させ、不要な項目は非表示にしておこう。また、ファイルを右クリックしたときに利用できる「クイックアクション」や、各アプリの共有ボタンで表示される共有メニューの項目もカスタマイズできる。「システム設定」で自分好みの状態に変更しておこう。

メニューバーとコントロールセンターをカスタマイズ

1 メニューバーに表示する項目を設定する

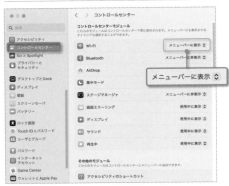

メニューバーに表示する項目を設定したい場合は、「システム設定」→「コントロールセンター」で行う。表示したい項目だけメニューバーに表示しておこう。

2 コントロールセンターに表示する内容を設定する

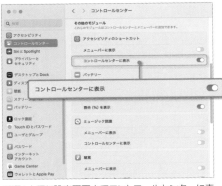

手順1と同じ設定画面内でコントロールセンターに表示する項目も設定できる。表示したい項目は「コントロールセンターに表示」をオンにしておこう。

3 「command」キー+ドラッグで項目を移動できる

メニューバーやコントロールセンターにある各項目は、「command」キーを押しながらドラッグ&ドロップで移動可能だ。メニューバーの項目は表示順も変更できる。

クイックアクションや共有メニューをカスタマイズ

1 システム設定で「アクション」と「共有」を設定する

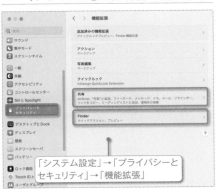

「システム設定」→「プライバシーとセキュリティ」→「機能拡張」

クイックアクションや共有メニューの項目をカスタマイズするには、まず「システム設定」→「プライバシーとセキュリティ」→「機能拡張」を開こう。「Finder」ではクイックアクションの項目、「共有」では共有メニューの項目を設定できる。

2 クイックアクションの項目をカスタマイズする

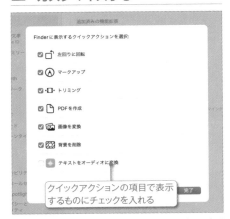

クイックアクションの項目で表示するものにチェックを入れる

「Finder」を選んだ場合は、上の画面になる。クイックアクションで表示する項目にチェックを入れておこう。アプリを入れると項目が増えることもある。

3 共有メニューの項目をカスタマイズする

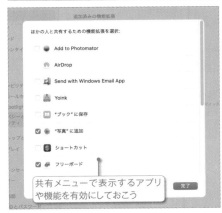

共有メニューで表示するアプリや機能を有効にしておこう

「共有」を選んだ場合は、上の画面になる。これは、各種アプリの共有ボタンを押したときに表示される項目だ。必要な項目にチェックを入れておこう。

文字入力に関する意外と知られていないワザを紹介!

チェックしておきたい 文字入力の操作&設定

これを知っておけば 文字入力を効率化できる

ここでは、文字入力に関する操作や設定をいくつか紹介しておこう。日本語入力中に文字をカタカナに変換する方法やライブ変換を無効化する方法など、知っておくと役立つ情報ばかりだ。なお、ここで紹介する内容は、macOS標準の文字入力システムでの操作および設定方法となる。

文字入力の操作&設定

カタカナに変換する

日本語入力中に自動変換が適用されている部分(アンダーラインが付いている場所)をすべてカタカナに変換したい場合は、「control」+「K」キーを押せばいい。

半角カタカナを入力する

半角カタカナを入力したい場合は、「システム設定」の「キーボード」を表示し、入力ソースの「編集」→「日本語-○○○入力」をクリックし、「半角カタカナ」にチェックを入れよう。あとは、メニューバーから入力モードを「半角カタカナ」に切り替えて文字入力すればいい。

ライブ変換を無効にする

Macの日本語入力システムには、入力と同時に変換を行うライブ変換機能が付いている。この機能をオフにしたい場合は、メニューバーにある日本語入力のアイコンから「ライブ変換」の項目のチェックを外そう。

ユーザ辞書を登録する

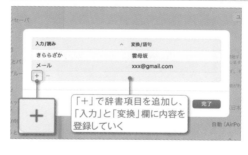

「+」で辞書項目を追加し、「入力」と「変換」欄に内容を登録していく

変換しにくい用語や名称などがあれば、ユーザ辞書に登録しておこう。ユーザ辞書の編集は、まず「システム設定」→「キーボード」から「ユーザ辞書」ボタンをクリック。左下にある「+」ボタンを押して辞書の項目を追加すればいい。「入力/読み」欄によみ、「変換/語句」欄に変換したい文字列を登録しておこう。たとえば、入力/読み欄に「メール」、変換/語句欄によく使うメールアドレスを登録すれば、「メール」と入力するだけでそのメールアドレスに変換されるようになる。なお、iCloud Driveが有効であれば、ユーザ辞書の内容を同じApple IDでサインインしたiPhoneやiPadと同期することが可能だ。

文字を再変換する

確定した文字列を選択して、「かな」キーを2回押すと再変換ができるので覚えておこう。

Windows風のキー操作にする

「システム設定」→「キーボード」→入力ソースの「編集」→「日本語-○○○入力」→「Windows風のキー操作」をオンにすると、日本語入力時の操作がWindows風になる。macOSでは文字変換の候補を選ぶ際、「return」キーを2回押さないと確定しないが、これを1回で確定することが可能だ。また、ファンクションキーでの半角カタカナ変換(F8)などもできるようになる。

変換候補の学習を一時的に停止

変換候補の学習を一時的に停止するには、メニューバーにある日本語入力システムのアイコンから「プライベートモード」を有効にしよう。これを有効にした場合、連絡先アプリに保存されている住所などの情報も変換候補として表示されなくなる。

変換履歴をリセットする

誤った変換履歴などを消去したい場合は、日本語の変換履歴をリセットしよう。「システム設定」→「キーボード」→入力ソースの「編集」→「日本語 - ローマ字入力」を表示したら、一番下にある「リセット」を押せばいい。

018

音声入力

キーボードを使わずにテキストを入力する

音声入力を使って
テキストを入力してみよう

Macに話しかけて
テキストを作成できる

音声認識によるテキスト入力を行う場合は、「システム設定」の「キーボード」→「音声入力」から、音声入力をオンにしておこう。あとは、テキストが入力できる状態で「F5」キーを押せばいい（機種によっては「control」キーを2回押す）。文字入力欄の近くにマイクマークが表示されたら、Macの内蔵マイクに話しかけてみよう。話した内容がテキストとして入力され、リアルタイムに変換されていく。なお、日本語入力システムにGoogleやATOKなどサードパーティ製のものを使っている場合、本機能は使えない。

システム設定で音声入力を有効にする

1 「システム設定」の「キーボード」から音声入力を有効にしておく

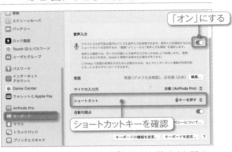

「オン」にする

ショートカットキーを確認

まずは、Appleメニューから「システム設定」を開き、「キーボード」→「音声入力」をオンにする。マイクの入力元や音声入力のショートカットキーも確認しておこう。

2 「有効にする」をクリックして準備完了

確認画面が表示される。音声入力で話した内容がAppleに送信され、テキスト変換されることに了承するなら「有効にする」をクリックしよう。

音声入力でテキストを入力していこう

1 「F5」キーを押すと音声入力が有効になる

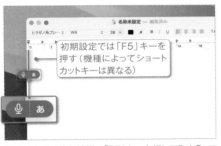

初期設定では「F5」キーを押す（機種によってショートカットキーは異なる）

文字入力が可能な状態で「F5」キーを押してみよう。マイクマークが表示されれば、音声入力が有効になった状態だ。Macに話しかけてみよう。

2 音声入力でテキスト入力していこう

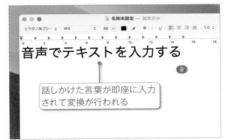

音声でテキストを入力する

話しかけた言葉が即座に入力されて変換が行われる

Macに話しかけた内容が音声認識され、テキストとして入力される。テキストは自動的に変換されていくので、そのまま話し続けていくだけでOKだ。

3 句読点や記号は音声コマンドで入力する

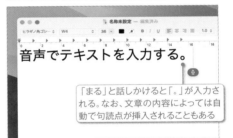

音声でテキストを入力する。

「まる」と話しかけると「。」が入力される。なお、文章の内容によっては自動で句読点が挿入されることもある

句読点や記号を入力したい場合は、下表でまとめたような音声コマンドで入力しよう。音声入力を終了したい場合は、「return」キーなどを押せばいい。

4 改行は「かいぎょう」と話しかければOK

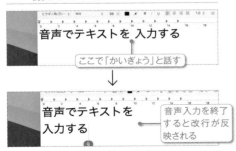

音声でテキストを 入力する

ここで「かいぎょう」と話す

↓

音声でテキストを 入力する

音声入力を終了すると改行が反映される

改行を入力したい場合は「かいぎょう」と音声コマンドを入力しよう。音声入力時点では改行が入ったように見えないが、入力が終わると改行が反映される。

おもな音声入力用のコマンド

音声コマンド	入力される文字	音声コマンド	入力される文字
まる	。	アットマーク	@
てん	、	かいぎょう	改行
かっこ	（	スラッシュ	/
かっことじ	）	アンド	&
かぎかっこ	「	パーセント	%
かぎかっことじ	」	アンダーバー	_
びっくりマーク	！	シャープ	#
はてな	？	こめじるし	※
さんてんリーダー	…	コロン	:
なかぐろ	・	セミコロン	;

019

Siri

何でも頼める音声アシスタント

Siriの真価を発揮する多彩な利用法

さまざまな用途に使える Siriを使いこなそう

音声アシスタント機能のSiriは、バージョンアップを重ねてますます賢く便利になっている。情報を調べたりアプリの操作を頼めるのはもちろん、通貨や単位を換算したり、音量や画面の明るさを1%単位で調節したり、流れている曲の名前を教えてもらうといった、あまり知られていない便利な使い方も多い。ここでは、覚えておくと役立つ音声入力例をまとめて紹介する。Macで作業中の手を止めることなくSiriを呼び出せるように、「Hey Siri」とショートカットキーの設定を済ませておこう。

Siriをより使いやすくする設定項目

「Hey Siri」とキーボードショートカットを有効にする

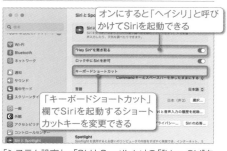

オンにすると「ヘイシリ」と呼びかけてSiriを起動できる

「キーボードショートカット」欄でSiriを起動するショートカットキーを変更できる

「システム設定」→「SiriとSpotlight」の"Hey Siri"を聞き取る」をオンにして自分の声を登録すると、「ヘイシリ」の呼びかけでSiriを起動できる。キーボードショートカットの変更も可能だ。

Siriへの問いかけや返答を文字で表示する

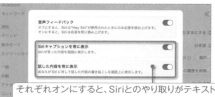

それぞれオンにすると、Siriとのやり取りがテキストで画面に残り、聞き逃してもあとで確認できる。また内容がうまく伝わらない際に、自分が話したテキストを正しい質問に修正できる

「Siriの応答」をクリックして、「Siriキャプションを常に表示」をオンにするとSiriが話した内容が、「話した内容を常に表示」をオンにすると自分が話した内容がテキストで表示されるようになる。

Siriに頼める便利な使い方

音量を37%にして	「音量を○%にして」や「音量を○%上げて」と頼むと、1%単位で音量を細かく調整できる。
画面の明るさを48%にして	「画面の明るさを○%にして」や「画面の明るさを○%上げて」と頼むと、1%単位で画面の明るさを細かく調整できる。
App Storeを起動	「○○（アプリ名）を起動」でインストール済みアプリを起動できる。標準アプリだけでなく他社製アプリの起動も可能だ。
青山はるかにFaceTime発信	「○○（連絡先の名前）にFaceTime発信」でFaceTime通話を発信できる。宛先が複数ある場合は選択できる。
山本健一の電話番号は？	「○○（連絡先の名前）の電話番号は？」で、連絡先に登録されている電話番号を教えてくれる。
妻にメッセージ	「妻（母や弟など）にメッセージ」で、家族として登録されている連絡先にメッセージを送信できる。
ビッグデータの意味は？	「○○（語句など）の意味は？」と尋ねると、内蔵辞書で調べた内容を読み上げたりWeb検索結果を表示してくれる。
東京駅から東京都庁までの経路は？	「○○から○○（駅名やスポット）までの経路は？」と伝えると、マップアプリでルート案内を表示する。
この後の予定は？	「この後の予定は？」と伝えると、カレンダーに登録されている今後の予定を知らせてくれる。
6月15日14時に会議を追加	「○月○日○時に会議を追加」などと伝えれば、カレンダーアプリのデフォルトカレンダーに予定を追加できる。
19時に実家に電話することをリマインド	「○時に○○とリマインド」で、リマインダーアプリのデフォルトのリストにリマインダーを登録する。
猫の画像を表示	「○○の画像を表示」と伝えるとWebで検索した画像をサムネイル表示する。クイックルックでの拡大表示も可能。
325ドルは何円？	「○ドルは何円？」「○ユーロは何ドル？」で、最新の為替レートで換算してくれる。各種単位換算もお手の物だ。
この曲は何？	「この曲は何？」と話しかけ、Macで再生中の曲や外部で流れている曲を聞かせると、その曲名を表示してくれる。
米津玄師のKICK BACKをかけて	「○○（アーティスト名と曲目）をかけて」で曲を再生してくれる。Apple Musicを利用中ならApple Music全体から選曲する。
ロンドンは今何時？	「○○（国名や都市名）は何時？」と聞くと、世界中の都市の現在時刻を確認することができる。
巨人の試合結果は？	「○○（プロ野球やJリーグのチーム名）の試合結果は？」と聞くと、最新の試合結果を詳細とともに教えてくれる。
さようなら	Siriのアイコンをクリックしたり「×」ボタンを押すほかに、「さようなら」と伝えることでもSiriを終了できる。

020

集中モード

シーン別に通知を制御しよう
作業に集中するために通知などを制限する

指定した時間帯や条件で通知をオフにできる

仕事や勉強に集中している時にメールやSNSの通知で気を散らされたくないなら、「集中モード」を利用しよう。設定した時間帯は通知を自動的にオフにしたり、通知をオフにしている間も特定の連絡先やアプリからの通知は許可するなど、柔軟な設定で通知を制限できる。あらかじめ「おやすみモード」「仕事」「パーソナル」といったシーン別の集中モード設定が用意されているので、これらをクリックして自分で使いやすい設定内容に編集しておこう。集中モードは他のデバイスと同期でき、Macでオンにすればば iPhoneやiPadでも機能が有効になる。

集中モードの設定画面を開く

1 集中モードの編集画面を開く

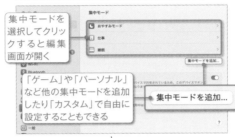

集中モードを選択してクリックすると編集画面が開く

「ゲーム」や「パーソナル」など他の集中モードを追加したり「カスタム」で自由に設定することもできる

集中モードの設定は「システム設定」→「集中モード」で行う。あらかじめ「おやすみモード」や「仕事」などの集中モードが用意されているので、利用したいものを選択しよう。

2 デバイス間の共有と集中モード状況の共有

それぞれ設定しよう

「デバイス間で共有」をオンにすると、設定した集中モードがiPhoneやiPadと同期する。「集中モード状況」をオンにすると、現在集中モード中で通知されない状況を相手に知らせることができる。

集中モードを設定する

1 スケジュールを追加をクリック

クリック

スケジュールを追加...

ここでは「仕事」で設定方法を解説する。まずは「スケジュールを追加」をクリックし、集中モードを開始するタイミングを設定しよう。

2 集中モードを開始するスケジュールを設定

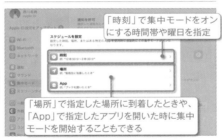

「時刻」で集中モードをオンにする時間帯や曜日を指定

「場所」で指定した場所に到着したときや、「App」で指定したアプリを開いた時に集中モードを開始することもできる

集中モードのスケジュールは時刻、場所、Appから選択できる。通常は「時刻」で開始時刻と終了時刻や、有効にする曜日を設定しておけばよい。

3 通知を許可する連絡先を指定する

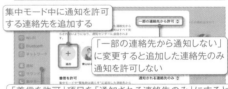

集中モード中に通知を許可する連絡先を追加する

「一部の連絡先から通知しない」に変更すると追加した連絡先のみ通知を許可しない

「着信を許可」項目を「通知される連絡先のみ」にすると選択した連絡先からのFaceTimeや電話着信のみ許可する。「繰り返しの着信を許可」をオンにすると同じ人から3分以内に2度目の着信があったときに通知する

「通知を許可」欄の「通知される連絡先」をクリックすると、集中モードがオンの状態でも、例外的に通知を許可する連絡先を設定できる。

4 通知を許可するアプリを指定する

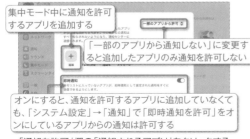

集中モード中に通知を許可するアプリを追加する

「一部のアプリから通知しない」に変更すると追加したアプリのみ通知を許可しない

オンにすると、通知を許可するアプリに追加していなくても、「システム設定」→「通知」で「即時通知を許可」をオンにしているアプリからの通知は許可する

「通知を許可」欄の「通知されるアプリ」をクリックすると、集中モードがオンの状態でも、例外的に通知を許可するアプリを設定できる。

5 集中モード中のアプリの動作をカスタマイズ

この集中モード中に、Safariで使用するタブグループを選択したり、メールアプリで表示するアカウントを指定することができる

「集中モードフィルタ」欄の「フィルタを追加」をクリックすると、集中モードがオンの状態でのSafariやカレンダー、メール、メッセージなどの動作を設定できる。

6 集中モードを手動で切り替える

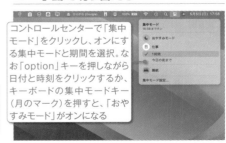

コントロールセンターで「集中モード」をクリックし、オンにする集中モードと期間を選択。なお「option」キーを押しながら日付と時刻をクリックするか、キーボードの集中モードキー（月のマーク）を押すと、「おやすみモード」がオンになる

集中モードは設定したスケジュールに従って自動で開始されるほかに、コントロールセンターから手動でオン／オフを切り替えることもできる。

021 アカウント

同じMacを複数のユーザで使用する
Macを 家族と共用する

それぞれのユーザが 独自の環境で使える

　Macを家族共用のパソコンとして使うなら、「システム設定」→「ユーザとグループ」画面で、家族用の新しいアカウントを追加しておこう。それぞれのユーザでApple IDなどを設定し、独自の環境と設定でMacを利用できる。追加した家族アカウントの種類を「管理者」ではなく「通常」にしておけば、家族がほかのユーザの設定を変更したり新たにユーザを追加することはできない。同じMacを使うユーザ同士でファイルをやり取りしたい時は、「ユーザ」フォルダに用意されている「共有」フォルダを利用しよう。

ファストユーザスイッチ で素早く切り替える

　「システム設定」→「コントロールセンター」を開き「ファストユーザスイッチ」の「メニューバーに表示」や「コントロールセンターに表示」を有効にしておくと、メニューバーやコントロールセンターのアイコンから、ログアウトせずに他のユーザに素早く切り替えできる。

クリックして他のユーザに切り替える

Macを使う他のユーザを追加する

1 ユーザとグループで アカウントを追加

クリック

「システム設定」→「ユーザとグループ」でMacの使用ユーザが一覧表示される。新しいユーザを追加するには「ユーザを追加」をクリック。

2 名前などを入力して 新規ユーザを作成

作成するユーザにすべての権限を与えるなら「管理者」を、システム設定などの一部の機能を使えないように制限するなら「通常」を選択する

「新規ユーザ」でアカウントの権限を選択し、名前やアカウント名（ホームフォルダ名）、パスワードを入力したら「ユーザを作成」をクリック。

3 作成したユーザに 切り替える

作成したユーザをクリックしてログイン

一度ログアウトしてMacのログイン画面を開くと、作成したユーザが追加されているので、クリックしてログインしよう。

4 初期設定を 進めていく

作成したユーザの初回ログイン時は初期設定画面が表示される。Apple IDのサインインなどを済ませて設定が完了するとデスクトップが表示される。

ユーザ同士でファイルをやり取りする

1 共有フォルダを 利用する

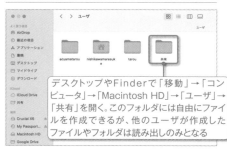

デスクトップやFinderで「移動」→「コンピュータ」→「Macintosh HD」→「ユーザ」→「共有」を開く。このフォルダには自由にファイルを作成できるが、他のユーザが作成したファイルやフォルダは読み出しのみとなる

他のユーザとファイルをやり取りしたい時は「共有」フォルダを利用しよう。すべてのユーザがファイルを作成したりコピーして取り出せる。

2 フォルダのアクセス 権限を設定する

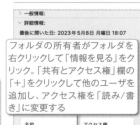

フォルダの所有者がフォルダを右クリックして「情報を見る」をクリック。「共有とアクセス権」欄の「＋」をクリックして他のユーザを追加し、アクセス権を「読み/書き」に変更する

他のユーザが作成したフォルダ内に管理者以外のユーザがファイルを作成することはできないが、アクセス権を与えておけば作成も読み出しもできるようになる。

⊜ POINT

ドロップボックス フォルダの使い方

　「移動」→「コンピュータ」→「Macintosh HD」→「ユーザ」で各ユーザのホームフォルダを開くと、「パブリック」フォルダのみ他のユーザからアクセスできる。このフォルダでファイルをやり取りすることも可能だ。またパブリックフォルダ内にある「ドロップボックス」フォルダは、他のユーザがファイルを入れることはできるが開くことはできないフォルダになっている。「共有」や「パブリック」フォルダのファイルは全員が閲覧できるので、他のユーザに見られたくないファイルを受け渡すときに利用しよう。なお、この「ドロップボックス」フォルダは、クラウドサービスの「Dropbox」とは関係ないので混同しないようにしよう。

SPECIAL COLUMN 01

今流行のAIチャットサービスを使いこなしてみよう

Macで生成AIを利用するための基礎知識

高度なAIを使って作業を効率化してみよう

近年では、高度なAI技術を使ったサービスが普及しつつある。最も有名なのは、AIチャットサービスの「ChatGPT」だろう。優秀なアシスタントとして仕事の効率化に役立てたり、創作活動のヒントを与えてもらったりなど、さまざまな用途で活用することが可能だ。他にも「Microsoft Copilot」や「Gemini」、「Claude」といった新しいAIチャットサービスが続々と登場している。ここでは、これらのサービスをMacで利用するための基礎知識を解説していく。最初にChatGPTの使い方（プロンプトの書き方）を詳しく紹介するが、他のAIチャットサービスでも使い方はほぼ同じとなる。

1 今からでも遅くない! AIチャットサービス「ChatGPT」の使い方

AIチャットサービスの本命を今すぐ体験しておこう

「ChatGPT」は、OpenAIが開発した高性能なAIチャットサービスだ。質問や要望をテキストで入力すると、膨大な学習データから導き出した回答を自然な会話文で返してくれるのが特徴。使い方次第では、文章を添削したり、プログラムのコードを書いたりなど、さまざまな作業のアシスタント役としても活躍してくれる。誰でも無料で使えるので、実際に試してみよう。

ChatGPT
作者／OpenAI
価格／無料(Plus版は月額20ドル)
URL／https://chat.openai.com/

POINT

ChatGPTを扱う上での注意点

ChatGPTを実際に使うとわかるが、質問内容によっては、回答に明らかな間違いや嘘が含まれていることがある。そのほかにもいくつか気を付けておくべき点があるので、以下をチェックしよう。

◉回答に間違いが含まれることがある
ChatGPTの回答には間違いが含まれることがある。自分の知らない分野について聞いたときは、正誤の判断が付きにくいので注意したい。

◉最新の情報には対応していない
ChatGPT-3.5は、2022年1月までのデータを基に学習を行っているため、それ以降に発生した事象など最新の情報については回答できない。

◉情報のソース元が明示されない
ChatGPTは、何の情報を元に回答しているのかが明示されない。そのため情報の正確性や信頼性を担保することができない。

◉機密情報が流出する危険性がある
質問内容は、OpenAIの開発者に見られたり、学習データとして使われる可能性がある。機密情報は流出の恐れがあるため、質問しないように。

ChatGPTの基本的な使い方

1 ChatGPTのサイトで新規アカウントを作成する

すでにGoogleアカウントやMicrosoftアカウントを持っている人は、「Log in」からChatGPTにログインできる

ChatGPTを利用するにはOpenAIのアカウントが必要だ。WebブラウザでChatGPTのサイトにアクセスしたら、「Sign up」で新規アカウントを作成しておこう。

2 新規チャットを作成して質問してみよう

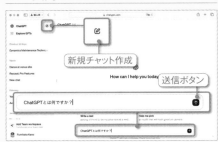

新規チャット作成

送信ボタン

ChatGPTにログインできたら、新規チャットを作成し、画面下の入力欄に質問を記入。右端の送信ボタンをクリックしてチャットを送信してみよう。

3 回答が表示されるのでさらに質疑応答を進めていこう

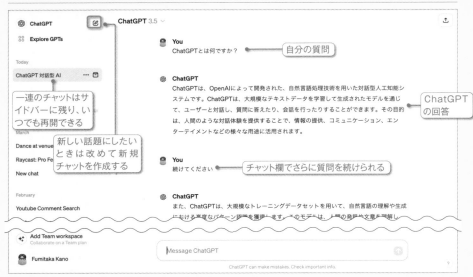

自分の質問

ChatGPTの回答

一連のチャットはサイドバーに残り、いつでも再開できる

新しい話題にしたいときは改めて新規チャットを作成する

チャット欄でさらに質問を続けられる

ChatGPTによる回答が表示される。質問を続けたい場合は、画面下のチャット欄でさらに質問を送信しよう。ChatGPTは一連のチャットによる会話を記憶して答えてくれるのが特徴。そのため、自然な会話の流れで質疑応答が行える。たとえば「続けてください」とチャット送信した場合は、前の回答をさらに補足して答えてくれるのだ。

ChatGPTに作業を実行させる代表的なプロンプト

質問次第でさまざまなタスクを実行してくれる

ChatGPTに入力する質問文のことを「プロンプト」と呼ぶ。「自由の女神はいつ作られたの？」など、知りたいことをプロンプトとして入力すれば、ChatGPTはそれにすぐ答えてくれる。ただ、こういった情報検索的な使い方は、従来のSiriやGoogleアシスタントでも可能だ。ChatGPTの真価は、何らかの作業を指示できることにある。たとえば、文字数を指定した文章の要約、貼り付けた文章の校正など、さまざまな作業をやってもらうことが可能だ。ここで具体的なプロンプトの例を紹介しておくので参考にしてみよう。なお、これらのプロンプトは、他のAIチャットサービスでも利用できる。

POINT

より高性能なGPT-4や最新のGPT-4oを使ってみよう

現在無料で使えるChatGPTでは、「GPT-3.5」と呼ばれる言語モデルが使われている。月額20ドルの有料プラン「ChatGPT Plus」では、より高性能な言語モデル「GPT-4」が利用可能だ。また、ChatGPTの動作をカスタマイズする「GPTs」や、イラストを描いてくれる「DALL·E」など、さまざまな最新機能が使えるのも魅力となっている。なお、2024年5月14日には最新の言語モデル「GPT-4o」が公開。GPT-4ベースの性能を持ちつつ、テキストだけでなく、音声や画像、映像の入力に対して高速に反応できるようになった。GPT-4oは、無料プランでも制限付きで使え、Plusプランでは無料プランの5倍のメッセージが利用可能だ。

1 指定した文字数で要約してくれる

> **You**
> 以下の文章を150文字前後で要約してください。
>
> M1チップ: AppleがMacBook AirやMac miniで使用しているM1チップをiPad Proに搭載しまし〜〜〜

> **ChatGPT**
> iPad ProがM1チップを搭載し、高速なパフォーマンスを実現。5G対応で高速なモバイル通信が可能になり、Thunderbolt / USB 4ポートを備えて外部デバイスとの接続が高速化。12.9インチモデルはMini-LEDディスプレイを採用し、〜ビジュアル体験向上、新しいカメラ

「以下の文章を〇〇文字前後で要約してください」と書き、続けて要約したい文章や箇条書きのメモ書きを書けば、指定した文字数で要約した文章を生成してくれる。長い記事の内容をざっくり理解したいときにも便利。

2 ビジネスメールの翻訳も自然にできる

> **You**
> 以下の箇条書きを元に、英文のビジネスメールを書いてください。
>
> ・あなたのサイトで「XXXXX（商品名）」を買ったが、いまだに届いていない
> ・購入日は2024年5月1日で、請求番号は

> **ChatGPT**
> Subject: Inquiry Regarding Order Status - No00001
>
> Dear [Recipient's Name],

「以下の箇条書きを元に、英文のビジネスメールを書いてください」と書き、箇条書きで要件を書いてみよう。ビジネスメールにふさわしい表現を使って英文メールを出力してくれる。海外サイトへの問い合わせにも使える。

3 文章の添削や校正をしてもらう

> **You**
> 次の文章を校正して、より良い文章にしてください。
>
> ChatGPTは、「自由の女神はいつ作られたの？」や「鮭を使ったレシピを教えて」など、知

> **ChatGPT**
> ChatGPTは、「自由の女神はいつ作られたの？」や「鮭を使ったレシピを教えて」といった質問に直接答えることができます。しかし、このような使い方で

「次の文章を校正して、より良い文章にしてください」と書き、校正したい文章を貼り付けると、正しい文章に直してくれる。表現が回りくどくなったりもするので完璧ではないが、簡単な文章の添削には十分使える。

4 ブログ記事のヒントを出してもらう

> **You**
> ChatGPTの記事を書こうと思っています。読者が知りたいことを箇条書きで教えてください。

> **ChatGPT**
> 当然ですね。こちらがその箇条書きです：
>
> 1. ChatGPTの概要とは何か？
> 2. ChatGPTの動作原理は？
> 3. ChatGPTがどのようにトレーニングされたか？
> 4. ChatGPTの応用例は何があるか？

「〇〇の記事を書こうと思っています。読者が知りたいことを箇条書きで教えてください」と質問すると、記事にするべきトピックを教えてくれる。「箇条書きで」と書くことで、返答時のフォーマットを指定可能だ。

知っておくと役立つプロンプト豆知識

1 質問した内容を再編集する

> **You**
> これから部屋の掃除をします。あなたが最良のアドバイスができるようになるまで、わからないことは私に質問してください。
> < 2/2 ✎ ── クリックして再編集

> **You**
> これから部屋の掃除をします。あなたが最良のアドバイスができるようになるまで、わからないことは私に質問してください。
> [Save & Submit] Cancel

> **ChatGPT**
> 掃除を始める前に、以下の点に留意すると効率的に作業が進められます：

一度質問した内容は、ペンマークをクリックすることで再編集でき、「Save&Submit」を押すことで回答も再生成される。回答がいまいちだったときは、質問を再編集して、もう少し具体的な内容を付け足すといい。

2 回答に対してさらに質問して深掘りしていく

> これらのアイテムがあれば、初心者でもギターを始めることができます。
> ── 回答に対してさらに質問を続ける

> **You**
> 予算5万円で収めるにはまず何を買えばいいですか？

> **ChatGPT**
> 5万円の予算でギターを始める場合、以下のようなアイテムを購入すると良いでしょう：
>
> 1. **アコースティックギター**: 初心者向けのエントリーモデルを選びましょう。5万円の予算で、品質の良いアコースティックギターを見つけることができます。ブランドやデザイン、音質などを考慮して選びましょ

ChatGPTは、一連のチャットの内容を覚えているため、回答に対してさらに質問を続けられる。次々質問して話題を深掘りしていこう。ただし、新しい話題に変えるときは新規のチャットを開始した方がよい。

3 表形式で回答を出力する

> **You**
> 日本の有名な車メーカーを5つ教えてください。出力を以下の表形式にしてください。
> | メーカー名 | 代表的な車種名 |
> < 3/3 ✎

> **ChatGPT**
>
> | メーカー名 | 代表的な車種名 |
> | --- | --- |
> | トヨタ (Toyota) | プリウス (Prius) |
> | ホンダ (Honda) | シビック (Civic) |
> | 日産 (Nissan) | ノート (Note) |
> | マツダ (Mazda) | アクセラ (Axela) |
> | スバル (Subaru) | インプレッサ (Impreza) |

ChatGPTは、回答を表形式で出力することが可能だ。表のフォーマットは「｜メーカー名｜代表的な車種名」のように、「｜」で項目を区切ることで指定できる。これなら、テキストだけの回答よりもグッと見やすい。

2 ChatGPT-4ベースのAIチャット機能が無料で使える

最新情報も検索してくれる Microsoft のAIチャット

MicrosoftとOpenAIが協力して提供しているAIチャットサービス。ChatGPT4ベースの高度な言語モデルを搭載しつつ、Webサイトの最新情報を取得して回答するため、鮮度の高い情報が得られる。絵を描いたり、曲を作ったりすることも可能だ。有料のPro版になるとWord、ExcelなどでAI生成機能が使えるようになる。

Microsoft Copilot
作者／Microsoft
価格／無料(Pro版は月額3,200円)
URL／https://copilot.microsoft.com/

1 最新情報を取得でき情報の取得元もわかる

質問によっては他のWebサイトの最新情報を参照して答えてくれる。情報の参照元を表示してくれるのも特徴だ

Webブラウザで CopilotのURLにアクセスして、Microsoftアカウントでサインインすればすぐに使える。最新情報を含む回答が知りたいときに利用してみよう。

2 AIにイラストや曲を作ってもらえる

「〜をテーマにした曲を作ってください」と指示するだけで、歌詞と曲を作ってくれる

イラストや曲をAIに作ってもらうことも可能だ。なお、曲を作る際は、新しいトピックを作ってからプラグイン一覧から「Suno」をオンにしておこう。

---

3 GmailやGoogleドライブ内のデータをAIチャットで活用する

Google Workspaceを活用している人におすすめ

「Gemini」は、Googleが開発しているAIチャットサービスだ。Google Workspaceの各種サービス(GmailやGoogleドライブなど)と連係できるのが最大の特徴。Gmailのメールを検索させて必要な内容をピックアップさせたり、GoogleドライブにあるPDFやドキュメントを要約させたりなどができる。

Gemini
作者／Google LLC
価格／無料(Advanced版は月額20ドル)
URL／https://gemini.google.com/

1 Gmail内の該当メールを検索して回答してくれる

Google Workspaceとの連係を許可すると、Gmailの内容を検索して回答してくれる

Webブラウザで GeminiのURLにアクセスして、Googleアカウントでサインイン。「Gmailに届いたAppleの請求書をまとめて」といった指示が可能だ。

2 Googleドライブ内のPDFを要約することも可能だ

「Googleドライブに〇〇〇について書かれたPDFがあれば要約してください」と指示すれば、該当するPDFの内容をチェックして要約してくれる。

---

4 自然な文章で答えてくれる最新のAIチャットサービスを使う

大量のテキスト処理なら ChatGPTより能力が高い

「Claude」は、最新のAIチャットサービスだ。ChatGPTよりも人間らしい自然な文章を生成できると言われている。また、一度に処理できるテキスト量が多く(有料版であれば約15万文字)、文字数の多い記事やレポート、論文などを読み取らせることが可能だ。PDFや画像をアップロードして直接処理することもできる。

Claude
作者／Anthropic
価格／無料(Opus版は月額20ドル)
URL／https://claude.ai/

1 PDFをアップロードしてそのまま処理できる

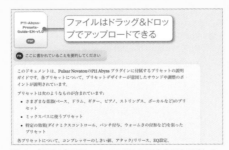

ファイルはドラッグ&ドロップでアップロードできる

Webブラウザで ClaudeのURLにアクセスしてサインインしよう。PDFをドラッグ&ドロップでアップロードすれば、その内容を要約したり、訳したりなどができる。

2 画像をアップロードしてその内容を把握できる

Claudeは画像認識も行える。画像をアップロードして「何が写っていますか?」と聞けば、写っている内容を答えてくれるのだ。

SECTION 2

標準アプリの
活用テクニック

なにげなく使っている標準アプリも、搭載する細かな機能や設定をしっかり
チェックすることで使い勝手が大きく向上する。特にSafariやメール、ミュージックといった
アプリを使っているユーザーには多くの新たな発見があるはずだ。

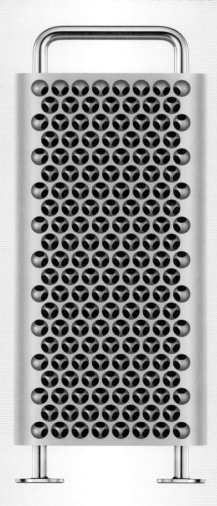

標準Webブラウザの踏み込んだ操作法をマスター

Safariの
活用テクニック

1 タブグループを他のユーザーと共有する

複数のメンバーで
同じタブを閲覧できる

Safariには、タブを目的やカテゴリ別にグループ分けできる「タブグループ」機能が搭載されている。このタブグループは、他のユーザーと共有して、同じタブを閲覧・編集することも可能だ。例えば、一緒に旅行に行く友人と旅先の情報収集を共同で行ったり、複数の参考用Webサイトを仕事仲間と同時にチェックしたい際などに活用しよう。

1 共有したい相手に
参加依頼を送る

クリックしてメッセージで参加依頼を送る

サイドバーで共有したいタブグループを右クリックして「タブグループを共有」をクリック。「メッセージ」で共有したい相手に参加依頼を送る。

2 共有タブグループを
管理する

クリックすると他のユーザーを追加したり共有を停止できる

メンバーは誰でもタブの追加や削除ができる。タブグループ画面上部のユーザーボタンから「共有タブグループを管理」でユーザーの追加などが可能だ。

2 SafariとChromeでブックマークを同期する

WindowsのChrome
での設定が必要

SafariとChromeのブックマークを同期させるには、WindowsのChromeで設定を行う必要がある。MacにSafariとChromeを両方インストールしていても、Mac上でブックマークを同期させることはできないのだ。まずWindowsパソコンに「Windows用iCloud」をインストールし、ブックマーク欄の「>」をクリック。「Safariのブックマークをほかのブラウザと同期します。」をオンにしよう。続けてGoogle Chromeの「拡張機能をインストール」をクリックし、Chromeに「iCloudブックマーク」の拡張機能を追加すれば、MacのSafariとWindowsのChromeのブックマークが自動で同期する。WindowsのChromeとMacのChromeで同じGoogleアカウントでログインすれば、Mac上のChromeでも同じブックマークを利用できるようになる。また、iCloud（Safariの同期をオンにする）やGoogleアカウントでログインしていれば、iPhoneやiPadのSafariやChromeのブックマークもすべて同じ状態に同期できる。

Windows用iCloud
作者／Apple
価格／無料
入手先／https://support.apple.com/ja-jp/HT204283

1 Windows用iCloudの
設定を行う

オンにする

クリック

Windows用iCloudを起動してApple IDでサインインしたら、ブックマーク欄の「>」をクリック。「Safariのブックマークを～」をオンにし、Google Chromeの「拡張機能をインストール」をクリックする。

2 Chromeに拡張機能を
追加する

クリック

Chromeウェブストアで「iCloudブックマーク」のページが開く。「Chromeに追加」ボタンをクリックして、WindowsパソコンのChromeに拡張機能を追加しよう。

3 結合をクリックして
ブックマークを同期

クリック

Windows用iCloudの画面に戻り、「完了」→「結合」をクリックしよう。これで、ChromeのブックマークがSafariに同期される。

4 WindowsとMacの
Chromeを同期する

Chromeのブックマーク同期をオンにしておく

WindowsのChromeとMacのChromeで、それぞれ同じGoogleアカウントでログインしブックマークを同期していれば、Mac上のChromeとSafari間でもブックマークが同期する。

3 Safariでページ全体のスクリーンショットを撮影する

PDFとして書き出すと全体を保存できる

Safariで開いたWebページのスクリーンショットを撮影したい場合は、「shift」+「command」+「4」キーを押してSafariの画面を選択し撮影しても、表示中の画面しか保存できない。縦に長いWebページの全体を保存したいときは、「ファイル」→「PDFとして書き出す」をクリックしよう。見えない部分を含めたWebページ全体をPDFファイルとして保存できる。

1 PDFとして書き出す

スクリーンショットを撮影したいWebページを開き、「ファイル」→「PDFとして書き出す」をクリック。適当な場所に保存しよう。

2 ページ全体がPDFとして保存される

保存したPDFファイルを開いてみよう。縦に長いWebページの全体が表示されるはずだ。

4 文字を選択できないサイトの文章をコピーする

プレビューのテキスト認識表示を利用する

歌詞検索サイトなど一部のWebサイトは、著作権保護などのためテキストのコピーを禁止しているが、個人的なメモや引用のためにWebサイト内のテキストをコピーしたい場合もあるはずだ。そんなときは、Webページのスクリーンショットを撮影して「プレビュー」や「写真」アプリで開こう。テキスト認識表示機能により、画像内のテキストを選択してコピーできる。

1 コピー不可のWebサイトをスクショする

Webサイトの画面をスクリーンショットする

コピー不可のWebサイトを開いたら、「shift」+「command」+「4」キーなどで画面のスクリーンショットを撮影し画像として保存しよう。

2 画像内のテキストをコピーする

テキスト部をドラッグして選択し、右クリックメニューで「テキストをコピー」をクリック

保存したスクリーンショットをプレビューや写真アプリで開くと、画像内のテキストをドラッグして選択しコピーできるはずだ。

5 Safariの利用環境を用途別に切り替える

タブやグループの環境を用途別に使い分ける

Safariでは、仕事用や学校用など複数の「プロファイル」を作成しておき、用途別にプロファイル（使用環境）を切り替えて利用できる。プロファイルごとに利用するタブグループやお気に入り、閲覧履歴、Cookieなどの環境を使い分けられるほか、機能拡張のオン／オフも選択可能だ。たとえば普段は広告ブロックをオンにし、仕事用のプロファイルでは広告ブロックをオフにするといった使い方ができる。なお、新規プロファイルを作成すると、元の環境は「個人用」という別のプロファイルになる。

元の環境は「個人用」になる

新規プロファイルを作成すると、元の環境は「個人用」という別のプロファイルとして保存される。元の環境に戻したい時は、この「個人用」プロファイルに切り替えればよい。

1 新規プロファイルを作成する

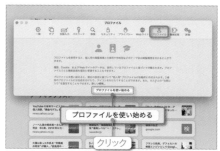

プロファイルを使い始める

クリック

メニューバーの「Safari」→「設定」→「プロファイル」→「プロファイルを使い始める」をクリックし、仕事用や学校用などプロファイル名を付けて作成する。

2 プロファイルの設定を変更する

プロファイルごとの使用環境を設定しておく

プロファイルごとのアイコンやカラー、お気に入りの保存場所、機能拡張のオン／オフなどは、「Safari」→「設定」→「プロファイル」で変更可能だ。

3 プロファイルを切り替える

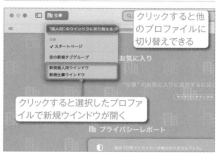

クリックすると他のプロファイルに切り替えできる

クリックすると選択したプロファイルで新規ウインドウが開く

ツールバーに現在使用中のプロファイル名が表示されるようになるので、これをクリックすれば他のプロファイルに切り替えできる。

023

メール

さまざまな便利機能でより柔軟にメールを扱える

メールアプリの活用テクニック

---

1 設定したルールに沿ってメールを自動管理する

メールを自動で振り分ける

メールアプリで「ルール」を設定しておくと、指定した条件に合致するメールを他のメールボックスに移動したり、削除やフラグを付けるといった操作を自動的に行える。メール自体を振り分けるので、あまり重要でないメルマガなどを専用のメールボックスに自動で移動するようにして、受信トレイをスッキリさせたい場合などに利用するといい。

1 ルールを追加をクリック

メニューバーから「メール」→「設定」→「ルール」画面を開き、「ルールを追加」をクリックする。

2 条件と操作を指定してルールを作成

右端の「+」をクリックすると新しい条件や操作を追加できる

メールを自動で振り分ける条件と、条件に合致するメールをどのように操作するかを指定して「OK」をクリックすればルールが作成される。

---

2 条件に合ったメールをひとつのメールボックスにまとめる

条件に合うメールのみ表示させる

メール自体は元の場所に残したままで、条件に合うメールだけを抽出し一箇所で確認したいときは、記事1の「ルール」ではなく「スマートメールボックス」を利用しよう。たとえば「打ち合わせ」や「請求書」といったテキストが含まれるメールを一覧したい場合などにおすすめだ。余計なメールが含まれないように、差出人など複数の条件をしっかり指定しておこう。

1 スマートメールボックスを作成する

クリック。メニューバーの「メールボックス」→「新規スマートメールボックス」をクリックしてもよい

サイドバーの「スマートボックス」欄にスマートメールボックスが表示される。新規作成するにはポインタを合わせて「+」をクリック。

2 条件を指定して保存する

右端の「+」をクリックすると新しい条件を追加できる。なお、スマートメールボックスを削除しても中のメールは消えず、元の受信トレイに残っている

メッセージに「打ち合わせ」を含む「差出人がVIP」のメールなど、複数の条件を指定しておけば、その条件に合うメールのみが表示される。

---

3 メールの送信を取り消す

10秒～30秒の間なら送信を取り消せる

メールを送信してもしばらくは、サイドバーの一番下に「送信を取り消す」ボタンが表示され、これをクリックすると送信をキャンセルできる。この「送信を取り消す」が表示される時間は、メニューバーの「メール」→「設定」→「作成」画面にある「送信を取り消すまでの時間」で変更可能だ。10秒／20秒／30秒から選択できるほか、送信取消機能をオフにすることもできる。

1 取り消せる時間を設定しておく

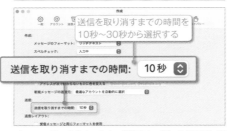

送信を取り消すまでの時間を10秒～30秒から選択する

メニューバーの「メール」→「設定」→「作成」画面を開き、「送信を取り消すまでの時間」で取り消せる時間を10秒～30秒から選択しておく。

2 「送信を取り消す」で送信取り消し

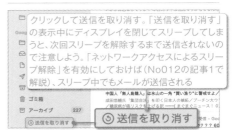

クリックして送信を取り消す。「送信を取り消す」の表示中にディスプレイを閉じてスリープしてしまうと、次回スリープを解除するまで送信されないので注意しよう。「ネットワークアクセスによるスリープ解除」を有効にしておけば（No012の記事1で解説）、スリープ中でもメールが送信される

メールを送信して10秒～30秒（手順1で設定した時間）以内に、サイドバーの下部にある「送信を取り消す」をクリックすれば送信を取り消しできる。

4 忘れず返信したいメールをリマインドする

指定した日時に再通知してくれる

　新着メールを今すぐ読んだり返信する時間がないときは、あとで忘れず確認できるようにリマインダーを設定しておこう。メールを2本指で右にスワイプし「リマインダー」をクリックするか、メールを右クリックして「リマインダー」を選択。続けて「1時間後にリマインダー」や「今夜リマインダー」（今日の午後9時）、「明日リマインダー」（翌日の午前8時）を選択したり、「あとでリマインダー」を選べば自由な日時を指定することもできる。指定した日時になると、あらためて通知が届き（通知を有効にしている場合）、そのメールが受信トレイの一番上に再度表示される。あたかも新着メールのように再表示されるので、対応し忘れることを防止できるというわけだ。また、リマインダーを設定したメールは、サイドバーの「リマインダー」メールボックスに表示され、「編集」ボタンでスケジュールを設定し直したり、リマインダーを解除することが可能だ。

1 リマインダーをクリックする

2本指で右にスワイプし「リマインダー」をクリック。右クリックして「リマインダー」を選択してもよい

メールを2本指で右にスワイプし「リマインダー」をクリックし、「1時間後にリマインダー」などリマインドしてほしいタイミングを選択しよう。

2 リマインドしてほしい日時を自分で指定する

「あとでリマインダー」で好きな日時を設定し「スケジュールを設定」をクリック

「あとでリマインダー」で日時を自由に指定できる。指定した日時になると、そのメールが受信トレイの一番上に再表示され、バナーなどで通知を設定していれば通知もあらためて届く。

◯＝POINT

リマインダーを編集、削除する

サイドバーの「リマインダー」メールボックスでリマインダーを設定したメールを開くと、右上に「編集」ボタンが用意されている。これをクリックするとスケジュール設定画面が表示され、リマインダーの日時を変更したり、「リマインダーを削除」をクリックしてリマインダーの削除が可能だ。

---

5 用意したメールを指定した日時に送信する

必要なタイミングでメールを送信する

　期日が近づいたイベントの確認メールを開催前日に送ったり、深夜に作成したメールを翌朝になってから送りたい時に便利なのが、メールアプリの予約送信機能だ。メールを作成したら、送信ボタン横の「∨」をクリックし、表示されるメニューでこのメールを送信する日時を指定できる。サイドバーの「あとで送信」メールボックスで、予約送信メールの確認や編集が可能だ。

1 送信ボタン横のメニューを開く

「∨」をクリック

送信ボタン横の「∨」をクリックすると「今夜21:00に送信」などの送信タイミングを選択できる。自分で自由に日時を指定したいなら「あとで送信」をクリック。

2 あとで送信する日時を自分で指定する

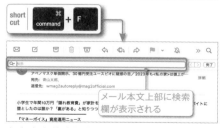

「あとで送信」で好きな日時を設定し「スケジュールを設定」をクリック。スリープ中でも指定日時にメールが送信される。電源オフだと送信されず次回起動時にオンラインになった時に送信される。「ネットワークアクセスによるスリープ解除」（No012の記事1で解説）の設定は影響しない

「あとで送信」で日時を自由に指定できる。送信予約したメールは「あとで送信」メールボックスに保存され、指定した日時に送信される。

---

6 メールの本文内をキーワード検索する

開いているメールの本文のみを検索する

　メールアプリのツールバー右上にある虫眼鏡ボタンは、メールボックス内の複数のメールを対象にした検索機能だ。選択した一通のメールの本文だけを検索対象にしたいときは、検索したいメールを開いた状態で「command」＋「F」キーを押そう。メール本文上部に検索欄が表示され、キーワードを入力すると、現在開いているメール本文内のみをキーワード検索できる。

1 メール本文内の検索欄を開く

メール本文上部に検索欄が表示される

本文内を検索したいメールを開いた状態で「command」＋「F」キーを押すと、メール本文の上部に検索欄が表示される。

2 開いている本文だけをキーワード検索

現在開いているメール本文を検索できる

表示された検索欄にキーワードを入力すると、現在開いているメール本文内のみを対象にしてキーワード検索することが可能だ。

7 特定の連絡先リストにメールを一斉送信する

リスト内のメンバーに
同じ文面を送信

　連絡先アプリでは、複数の連絡先を「リスト」としてグループ分けできる。このリストを作成しておくと、リスト内のすべての連絡先に対して、メールを一斉送信することが可能だ。仕事先やサークルのメンバー、イベントの関係者など、複数の人に同じ文面のメールを送りたい時に活用しよう。指定した条件に合う連絡先を自動でリストにまとめた「スマートリスト」（No028の記事4で解説）の連絡先にメールを一斉送信することもできる。リスト内のメンバーに一斉送信するには、連絡先アプリでリストを右クリックし、「"○○"にメールを送信」をクリックすればよい。リストの連絡先が宛先に追加された状態で新規メールの作成画面が開く。または、メールアプリで新規メールを作成し、宛先欄にリスト名を入力して候補から選択してもよい。同様に選択したリストの連絡先がすべて宛先に追加される。

1 連絡先アプリで
リストを右クリック

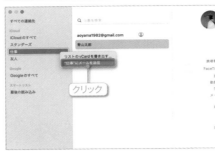

あらかじめ連絡先アプリでリストを作成して連絡先を登録しておいたら、リストを右クリックして「"○○"にメールを送信」をクリックする。

2 リスト内のメンバー
全員に一斉送信

リスト内の連絡先が全員宛先に追加された状態で、新規メールの作成画面が開く。あとはメールを作成して送信ボタンをクリックすれば一斉送信ができる。

POINT

連絡先リストを
作成する

連絡先アプリでサイドバーのアカウントにポインタを合わせ「＋」をクリック。「仕事」「プライベート」などのリストを作成し、連絡先をドラッグ＆ドロップして追加しておこう。

8 件名でまとめられるスレッド表示を無効にする

メールを新着順に
1通ずつ表示させる

　メールは標準の設定だと、同じ件名でやりとりした一連のメールが「スレッド」としてまとめて表示されるようになっている。会話の流れを把握しやすい便利な機能だが、複数回やり取りしたメールがひとつの件名でまとめて表示されるため、メールを見逃しやすいデメリットもある。新着順に1通ずつメールを表示したい場合は、スレッド表示をオフにしておこう。

1 標準ではスレッドで
表示される

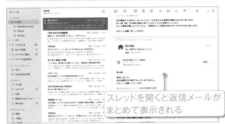

標準設定では会話の流れが分かりやすいように、同じ件名でやりとりした一連のメールがスレッドとしてまとめて表示されるようになっている。

2 スレッド表示を
オフにする

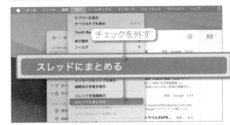

やり取りをまとめて表示せず、新着順に1通ずつ表示させたい場合は、メニューバーの「表示」→「スレッドにまとめる」のチェックを外そう。

9 メールの添付ファイルだけを削除する

添付ファイルの削除で
ストレージ容量を節約

　Macのストレージ容量を圧迫する要因として、意外と見落としがちなのがメールの添付ファイルだ。文書や画像、PDFなどが添付された古いメールが残ったままだと、積もり積もってメールだけで結構なファイルサイズになるので、不要な添付ファイルは削除して容量を節約しておきたい。メール自体は残しておきたい場合は、添付ファイルのみを削除できるようになっている。

1 添付ファイル付き
メールを探す

まずは添付ファイル付きメールを探そう。フィルタ機能で「添付ファイル付きメールのみ」にチェックすれば、添付ファイル付きメールのみが抽出される。

2 添付ファイルのみを
削除する

添付ファイル付きメールを選択したら、メニューバーの「メッセージ」→「添付ファイルを削除」でメールを残して添付ファイルのみ削除できる。

10 保存した添付ファイルから送られてきたメールを開く

保存した添付ファイルにはメールアイコンが付く

Macでは、メールに添付されていたファイルを保存すると、どのメールに添付されていたファイルかが簡単に分かるようになっている。保存した添付ファイルをFinderで表示し、ファイル名の後ろに表示されているメールアイコンをクリックするだけで、添付元のメールを開くことが可能だ。また、ファイルを右クリックして「○○さんに返信」をクリックすれば、返信メールを素早く作成することもできる。

1 ファイル名のメールアイコンをクリック

メールに添付されていたファイルを保存すると、そのファイル名の後ろにメールアイコンが表示される。これをクリックすると添付されていたメールが開く。

2 添付ファイルから返信メールを送る

保存した添付ファイルを右クリックし、「○○さんに返信」をクリックすると、添付ファイルが送られてきたメールに対して返信メールを作成できる。

11 「もう一度送信」機能を使いこなす

一度送ったメールを再利用して送信できる

一度送信したメールを再利用してメールを作成したい場合は、「送信済み」メールボックスからメールを選択して右クリックし、「もう一度送信」をクリックしよう。再送信する前に内容を変更できるので、リマインドメールとして同じ相手に同じ内容で送信する場合はもちろん、内容を少し改変して他の宛先に送信したり、同じ添付ファイルを他の宛先に送りたい場合などにも活用できる。

1 もう一度送信をクリック

送信済みメールボックスから、内容を再利用したい送信済みのメールを選択したら、右クリックして「もう一度送信」をクリックする。

2 内容を再利用して送信する

送信したメールの宛先や件名、内容、添付ファイルが同じ状態でメール作成画面が開く。あとは必要に応じて宛先や内容を編集し、送信ボタンを押せばよい。

12 チェックしたいその他のメール操作&設定

メールの一括開封なども知っておこう

他にも、メールアプリで覚えておくと便利な操作や設定をまとめて紹介する。まず、大量に溜まった未読メールをまとめて開封済みにしたい場合は、「全受信」などの受信トレイを右クリックし、「すべてのメッセージを開封済みにする」をクリックすればよい。未読メールが多いと必要なメールが埋もれがちで新着メールも分かりづらいので、未開封メールは常にゼロにするように心がけたい。また、テキストの一部だけを引用マーク付きで本文にペーストしたい場合は、引用したいテキストをコピーした上でメールの作成画面を開き、「shift」+「command」+「V」キーを押す。メニューバーの「編集」→「引用としてペースト」をクリックしてもよい。受信したメールが自分だけに宛てた「TO」メールか、複数人にまとめて送信された「CC」メールかを見分けやすくするには、メニューバーの「表示」→「TO/CCラベルを表示」にチェックしておこう。

未読メールをまとめて開封する

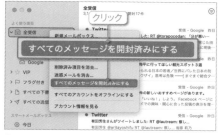

「全受信」などの受信トレイを右クリックし、「すべてのメッセージを開封済みにする」をクリックすると、すべての未読メールをまとめて開封できる。

テキストを引用マーク付きでペースト

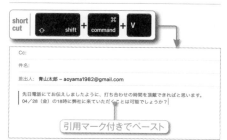

メールの作成画面を開いて「shift」+「command」+「V」キーを押すと、コピーしたテキストを引用マーク付きでペーストできる。

受信メールがCCだと分かるようにする

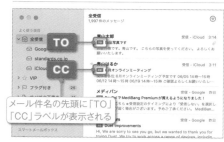

メニューバーの「表示」→「TO/CCラベルを表示」にチェックしておくと、受信したメールの宛先が「TO」か「CC」かラベルで判断できる。

音楽をもっと快適に楽しむための操作法

ミュージックとApple Musicの隠れた便利機能

1 特定の曲をシャッフル再生時に除外する

イントロ曲などをシャッフル再生させない

ミュージックアプリで曲をシャッフル再生していると、あまり好みでない曲が流れたり、アルバムの1曲目に入っているような短いイントロ曲が流れることがある。このような曲をシャッフル再生したくない場合は、曲を右クリックして「情報を見る」→「オプション」→「シャッフル時にスキップする」にチェックしておこう。その曲をシャッフル再生の対象から外すことができる。

1 右クリックから情報を見るを選択

シャッフル再生時に聞きたくないイントロ曲などは除外設定しておこう。まず曲を右クリックして「情報を見る」をクリック。

2 シャッフル時にスキップする

曲の情報画面が開くので、「オプション」タブにある「シャッフル時にスキップする」にチェックしておこう。これでシャッフル再生されなくなる。

2 Genius機能で似たテイストの曲を自動再生させる

再生リストはGeniusにおまかせ

ミュージックアプリでは、ライブラリから同じテイストの曲を選んで再生してくれる「Genius」機能を利用できる。ミュージックが1曲を選んでそれと同じテイストの曲を自動的にシャッフル再生する「Geniusシャッフル」と、ユーザーが1曲を選んでそれと同じテイストの曲のプレイリストを作成する「Geniusプレイリスト」の、2つの利用方法がある。

1 Geniusシャッフルを利用する

メニューバーの「コントロール」→「Geniusシャッフル」を選択すると、ミュージックが再生する曲を選び、その曲と似た曲をシャッフル再生する。

2 Geniusプレイリストを利用する

好きな曲を選択し、メニューバーの「ファイル」→「新規」→「Geniusプレイリスト」をクリック。選んだ曲に似た曲のプレイリストが作成される。

3 それぞれの曲の参加アーティストを確認する

好きな曲のクレジットを確認

好きな曲の参加アーティストを調べたい時は、SafariでWeb版のApple Music（https://music.apple.com/jp/browse）にアクセスしよう。曲名の右にある「…」→「クレジットを表示」をクリックすると、その曲を演奏するアーティストだけでなく、作曲家、作詞家、プロデューサー、エンジニアなどを確認できる。このクレジットは、Apple Musicのサブスクリプションに登録していなくても表示可能だ。

1 クレジットを表示をクリックする

SafariでWeb版のApple Musicにアクセスしてサインインしたら、好きな曲を検索し、曲名に表示されている「…」→「クレジットを表示」をクリック。

2 曲のクレジットが表示される

曲のアーティストだけでなく、作曲家、作詞家、プロデューサー、エンジニアなども確認できる。Apple Musicに登録していれば歌詞も表示できる。

4 発売前のアルバムもライブラリに登録しておこう

配信時に自動で
ライブラリに追加

　Apple Musicには、今後リリースされる新作もあらかじめ登録されていることが多い。好きなアーティストの新作情報が解禁されたら、検索して「＋追加」ボタンをクリックしライブラリに追加しておこう。先行配信されている曲をすぐに再生できるほか、リリース日になると通知が届き、残りの曲も自動的にライブラリに追加され、「最近追加した項目」の一番上に表示される。

1 「まもなくリリース」をチェック

リリース前のアルバムをチェックできる

新作は自分で検索するほかにも、「見つける」画面にある「まもなくリリース」をクリックすれば近日配信予定の注目作品をチェックできる。

2 ライブラリに先行追加しておく

配信日に必ず聴きたいアルバムは、「＋追加」ボタンでライブラリに先行追加しておこう。すでに先行配信曲があればクリックして再生が可能だ。

5 Apple Musicのおすすめの精度を上げる

お気に入りにした曲に
似た曲が提案される

　好みの曲は「お気に入り」を選択し、あまり好みでない曲は「おすすめを減らす」を選択しておこう。「今すぐ聴く」画面で「お気に入り」にした曲に似たジャンルやアーティストが提案されるようになり、おすすめ曲の精度がアップする。なお、「お気に入り」以外にも曲を5段階の星印で評価できる機能があるが、この星印は「今すぐ聴く」のおすすめには影響しない。

1 ラブ機能で好みの曲を学習させる

「お気に入り」を選択すると、「今すぐ聴く」画面で似たタイプの曲が提案されるようになる

曲やアルバムを右クリックして「お気に入り」や「おすすめを減らす」を選択すると、好みの楽曲を学習して「今すぐ聴く」の精度が上がる。

2 星印で個人的な評価を付ける

この評価は「今すぐ聴く」に反映されないが、スマートプレイリストの作成時などに利用できる

メニューバーの「ミュージック」→「設定」→「一般」で「星印の評価」にチェックすると、アルバムや曲に対して星印で5段階評価できる。

6 Apple Musicを使わずiCloudミュージックライブラリを利用する

iTunes Matchを
契約しよう

　「Apple Music」に登録すると約1億曲が聴き放題になるだけでなく、Macで音楽CDなどから取り込んだ手持ちの曲を最大10万曲までクラウドにアップして、同じApple IDのデバイスでいつでも再生できる「iCloudミュージックライブラリ」という機能も利用できる。このiCloudミュージックライブラリが必要なだけでApple Musicの定額聴き放題サービスは不要なら、「iTunes Match」というサービスも用意されているので、自分の使い方に合ったほうを選ぼう。Apple Musicの場合はサービスを解約するとiPhoneやiPadにダウンロード済みの曲も再生できなくなるのに対し、iTunes Matchはサービスを解約したあとでもiPhoneやiPadにダウンロード済みの曲はそのまま残り再生できる点がメリットだ。iTunes Matchの料金は年額3,980円となっている。

1 iTunes Storeで iTunes Matchをクリック

iTunes Matchに登録するには、ミュージックアプリのサイドバーで「iTunes Store」を開き、下の方にある「iTunes Match」をクリックしよう。

2 iTunes Matchを契約する

「年間登録料¥3,980で更新」で登録し、もう一度同じ画面を開いて「このコンピュータを追加」をクリック。ライブラリをアップロードしておこう。

⊂⊃ POINT

iTunes Store
が表示されない
場合は

サイドバーに「iTunes Store」が表示されない場合は、メニューバーの「ミュージック」→「設定」→「一般」で「iTunes Store」にチェックする。

チェックする

ショートカットを使いこなして作業効率をアップ

よく行う面倒な操作をショートカットアプリで自動化する

複数の工程をワンクリックで実行

標準で用意されている「ショートカット」アプリは、よく使うアプリの操作やmacOSの機能など、複数の処理を連続して自動実行させるためのアプリだ。実行させたい処理をショートカットとして登録しておけば、メニューバーから実行したり、Siriにショートカット名を伝えて実行できる。まずは「ギャラリー」に並んでいるショートカットから、自分で使いたいものを探して登録するのがおすすめだ。一から自分で作成しなくても、いくつかの設定を済ませるだけで、便利なショートカットを利用できるようになっている。

ギャラリーからショートカットを追加する

1 ギャラリーから使いたいショートカットを選択

Launchpadの「その他」からショートカットアプリを起動し、「ギャラリー」から利用したいショートカットを探してクリックする。

2 ショートカットを追加して設定を済ませる

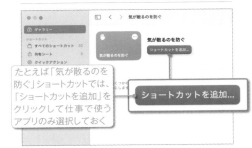

ショートカットの説明を確認し、「ショートカットを追加」をクリックしよう。ショートカットの内容によっては追加の設定が必要となる。

3 追加したショートカットの確認と実行

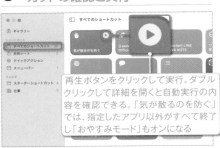

サイドバーの「すべてのショートカット」にショートカットが追加されている。ポインタを合わせて再生ボタンをクリックすると実行できる。

4 ショートカットをメニューバーに表示

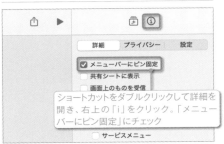

どの画面からも素早くショートカットを実行できるように、メニューバーにショートカットボタンを表示させておくのがおすすめだ。

5 メニューバーからショートカットを実行

メニューバーのショートカットボタンをクリックすると、「メニューバーにピン固定」にチェックしたショートカットを実行できる。

自分でオリジナルのショートカットを作成する

1 ショートカットを新規作成する

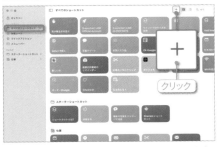

ショートカットを一から自分で作成するには、サイドバーで「すべてのショートカット」を開き、上部の「+」ボタンをクリック。

2 必要なアクションを追加する

たとえば写真アプリの最新のスクリーンショットをリサイズして保存したい場合は、まず「最新のスクリーンショットを取得」アクションを追加する。

3 他のアクションも追加して動作をテストする

続けて「画像のサイズを変更」と「ファイルを保存」アクションを追加し、それぞれの設定を済ませれば完成。再生ボタンで動作をテストしよう。

026

カレンダー

年間の予定なども一気に登録できる
カレンダーの予定をスプレッドシートで効率的に入力する

Googleカレンダー経由でcsvをインポートしよう

カレンダーアプリで定期的な予定を入力する際は、同じ予定なら繰り返しを設定すればよいが、開始時間や終了時間、場所などが毎回異なる場合はひとつずつ修正する必要があり面倒だ。そんなときは、Excel（NumbersやGoogleスプレッドシートでもよい）で予定をまとめて作成し、csv形式で保存してカレンダーに取り込むと効率的だ。ただし、Excelで予定を作成する際はカレンダーにインポート可能な書式で入力する必要がある。また、標準カレンダーアプリはcsv形式を直接インポートできないので、一度Googleカレンダーにインポートし、Googleカレンダーを標準カレンダーと同期させよう。

Excelで予定を作成してカレンダーに登録する

1 Excelで予定のヘッダーを入力する

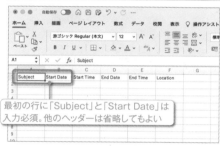

最初の行に「Subject」と「Start Date」は入力必須。他のヘッダーは省略してもよい

まずはExcelで右の書式に合わせてスケジュールを作成する。最初の行に「Subject」や「Start Date」などヘッダーを英語で入力しよう。

POINT

カレンダー用の入力書式

書式	項目	入力例
Subject	タイトル	出勤
Start Date	予定の開始日	04/30/2023
Start Time	予定の開始時間	10:00 AM
End Date	予定の終了日	04/30/2023
End Time	予定の終了時間	3:00 PM
All Day Event	終日	「True」（終日）か「False」（終日でない）を入力
Location	予定の場所	四谷三栄町12-4
Private	限定公開	「True」（限定公開）か「False」（限定公開でない）を入力
Description	メモ	予定についてのメモを入力

※SubjectとStart Dateの入力は必須

2 ヘッダー下の各行に予定内容を入力

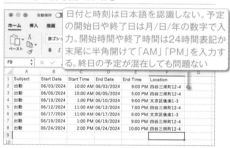

日付と時刻は日本語を認識しない。予定の開始日や終了日は月/日/年の数字で入力。開始時間や終了時間は24時間表記か末尾に半角開けて「AM」「PM」を入力する。終日の予定が混在しても問題ない

「Subject」の行にタイトルを入力し、「Start Date」の行には予定の開始日を入力するなど、それぞれのヘッダーに合わせて予定内容を入力していく。

3 csv形式のUTF-8で保存する

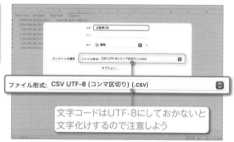

ファイル形式: CSV UTF-8 (コンマ区切り) (.csv)

文字コードはUTF-8にしておかないと文字化けするので注意しよう

予定を作成したら、ファイル形式を「CSV UTF-8(コンマ区切り)」にして、適当な場所に保存しておく。

4 Googleカレンダーでcsvファイルを読み込む

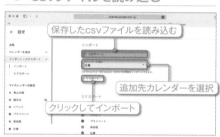

保存したcsvファイルを読み込む

追加先カレンダーを選択

クリックしてインポート

SafariでGoogleカレンダーにアクセスし、歯車ボタンから設定を開く。続けて左欄で「インポート／エクスポート」を開き、作成したcsvファイルと追加先のカレンダーを選択したら、「インポート」をクリックする。

5 Googleカレンダーにインポートされた

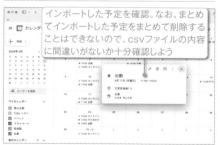

インポートした予定を確認。なお、まとめてインポートした予定をまとめて削除することはできないので、csvファイルの内容に間違いがないか十分確認しよう

Googleカレンダーを確認してみよう。Excelで作成したcsvファイルの予定が反映されているはずだ。

6 標準カレンダーと同期する

「+」→「Google」を選択してGoogleアカウントを追加する

Macでカレンダーアプリを起動し、「カレンダー」→「設定」→「アカウント」でGoogleカレンダーを追加して同期させよう。

7 標準カレンダーでも予定が反映される

Googleカレンダーと同期させておけば、標準カレンダーにもExcelで作成した予定が反映されているはずだ。

Apple MusicやApple TVで利用できる
友人と音楽や映画を一緒に楽しむ

まずはSharePlayの利用条件を確認しよう

Macでは、友達と一緒に映画やドラマ、音楽などのコンテンツをFaceTimeなどで同時に視聴できる「SharePlay」機能を利用でき、離れた人と同じ作品を楽しみながら盛り上がることができる。SharePlayはApple TVやミュージック（Apple Music）などで利用できるほか、一部のサードパーティー製アプリも対応済みだ。ただし、通話する相手全員が下の囲み記事にまとめた条件を満たす必要がある。なお、自分の画面を相手に見せられる「画面共有」機能を使えば、SharePlayに対応していないYouTubeの動画や、写真アプリの写真や動画も再生して一緒に楽しめる。

SharePlayを使って一緒に視聴する

SharePlay利用中の画面

FaceTimeで友達と通話中に、Apple TVやミュージック（Apple Music）などのSharePlay対応アプリを起動して再生を開始すると、一緒に同じ映画や音楽などを楽しめる。SharePlayの利用中はメニューバーにSharePlayボタンが表示され、参加中のメンバーを確認したり、SharePlayを終了できる。

SharePlayの利用条件と使い方

1 FaceTimeアプリで通話する

「新規FaceTime」ボタンで通話しよう

まずは、SharePlayで映画や音楽を一緒に楽しみたい相手とFaceTimeで通話しよう。全員が右囲み記事にまとめた条件を満たす必要がある。

SharePlayでの接続に必要な条件

● 最新OSに更新済み
参加メンバー全員が、macOS 12.1以降のMacや、iOS 15.1以降のiPhone、iPadOS 15.1以降のiPadを使っている必要がある。

● FaceTimeアプリで通話
参加メンバーの招待にFaceTime通話が必要。Webブラウザで通話するとSharePlayは利用できない。なお、iPhoneまたはiPadから参加依頼がメッセージで届くと、メッセージでも

SharePlayに参加できる。

● 対応アプリが必要
SharePlayに対応したアプリが必要。Apple TVやミュージック（Apple Music）だけでなく、他社製のアプリでも対応したものがある。

● 有料サービスは加入が必要
SharePlayで再生した映画や音楽が有料サービスの場合は、メンバー全員が加入していないと画面を共有できない。

2 SharePlay対応アプリを起動する

クリック

ミュージックなどのSharePlay対応アプリを起動して再生を開始すると、「SharePlayしますか？」と表示されるので、「SharePlay」をクリック。

3 SharePlayで同時に楽しむ

SharePlayを終了するにはここをクリック

通話相手と同時に視聴できる。SharePlayを終了するには、メニューバーのSharePlayボタンをクリックして再生中のコンテンツの「×」をクリック。

4 SharePlayの終了方法を選ぶ

「自分に対してだけ停止」は自分だけ途中で視聴をやめて退出できる。他のメンバーの画面では再生が継続される

「全員に対して停止」か「自分に対してだけ停止」をクリックすると、SharePlayを停止できる。

5 操作中の画面を共有する

メニューバーの「FaceTime」ボタン→「画面共有」ボタンをクリックし、「ウインドウ」や「アプリ」、「画面」を選んで共有する画面を選択。YouTubeなどSharePlay非対応の画面を共有して、通話相手と一緒に楽しめる

メニューバーの「FaceTime」ボタンから「画面共有」ボタンをクリックすると、選択したウインドウやアプリ、画面を通話相手に見せることもできる。

028
便利機能

その他標準アプリの便利な機能をまとめて紹介
その他の標準アプリ
テクニック

---

1 メモアプリの内容をテキストとして書き出す

Marckown形式か
HTML形式で保存

標準の「メモ」アプリにはテキスト出力機能がないので、メモ内容をテキストとして保存したい時は、ひとつずつテキストエディタなどにコピペするといった作業が必要だ。しかし「Exporter」を使えば、ワンクリックですべてのメモをまとめてテキスト化し、フォルダごとに分類して保存できる。フォーマットはMarckownかHTMLを選択可能だ。

1 フォーマットを選択する

Exporter
作者／Chintan Ghate
価格／無料
入手先／App Store

Exporterを起動したら、まずメニューバーの「Format」で、テキストのフォーマットをMarckownかHTMLから選択しておこう。

2 テキスト形式で保存する

あとはアプリの画面内にある「↓」ボタンをクリックするだけで、すべてのメモをテキスト形式でダウンロードし、保存先を指定できる。

---

2 WindowsやAndroidともFaceTimeで通話する

通話リンクを作成
して招待しよう

無料で音声通話やビデオ通話を行えるFaceTimeは、Appleデバイス同士だけでなく、WindowsやAndroidユーザーとも通話することが可能だ。FaceTimeで通話のリンクを作成し、メールなどで招待すると、WindowsやAndroidユーザーはWebブラウザからログイン不要で通話に参加できる。相手のデバイスを選ばずオンラインミーティングなどに活用できるので覚えておこう。

1 FaceTimeの通話リンクを作成する

FaceTimeを起動したら「リンクを作成」をクリックし、メールやメッセージなどで参加してほしい相手にリンクを送信する。

2 作成した通話リンクに参加する

「今後の予定」に作成したリンクが表示されるので、これをダブルクリック。続けて「参加」をクリックし、他のメンバーが参加するのを待とう。

3 WindowsやAndroidユーザーの操作

WindowsやAndroidユーザーは、メールなどで受け取ったリンクをタップし、名前を入力して「続ける」→「参加」をタップしよう。

4 通話への参加を許可する

通話リンクを送った相手が参加すると、サイドバーに名前が表示される。緑のチェックマークをクリックして参加を許可すれば通話が開始される。

POINT

Webブラウザ経由の
通話で利用できない機能

Webブラウザで通話に参加すると、カメラのオン／オフやマイクのミュートといった基本的な機能は利用できるが、ポートレートモードなどのビデオエフェクトは利用できない。また、Webブラウザ経由のメンバーはSharePlay（No027で解説）に参加できない点にも注意しよう。

カメラオフやマイクミュートは可能

3　PagesでEPUBファイルを作成する

テンプレートを使って簡単に電子書籍化

作成した原稿や資料を、AppleブックやKindleなどで採用されている電子書籍の標準フォーマット「EPUB」形式に変換したいなら、Apple標準の文書作成アプリ「Pages」を利用しよう。Pagesならどのテンプレートを使ってもEPUB形式で書き出せるほか、ブック作成用のテンプレートも豊富に用意されているので、見出しや写真の配置を調整するだけで簡単に電子書籍化できる。

1　Pagesで原稿を作成する

まずはPagesで「ファイル」→「新規」をクリック。空白テンプレートなどを選んで原稿を作成し、タイトルや見出しなどを設定していこう。

2　EPUB形式で書き出す

原稿が完成したら、EPUB形式で保存しよう。「ファイル」→「書き出す」→「EPUB」をクリックする。

3　タイトルやレイアウトを決めて保存する

デバイスや方向に合わせてテキストサイズが自動調整される「リフロー型」か、デバイスや方向に関係なくレイアウトを固定する「固定レイアウト型」から選択。テキスト主体の小説などであればリフロー型を、画像が多用された文書なら固定レイアウト型を選ぼう

タイトルや作成者、表紙を設定し、レイアウトをリフロー型か固定レイアウト型から選択して保存すれば、EPUBファイルが作成される。

4　ブック作成用のテンプレートを選択

ブック

「ファイル」→「新規」をクリックし、サイドバーの「ブック」を選択すると、電子書籍に最適なブック向けのテンプレートを選択できる。

5　テンプレートから原稿を作成する

タイトルや写真を編集するだけで、見栄えの良い電子書籍を作成できる。あとは同様に「ファイル」→「書き出す」→「EPUB」で保存すればよい。

4　条件を指定して連絡先リストを作成する

スマートリストを活用しよう

連絡先アプリでは、連絡先を自分でグループ分けして整理する「リスト」のほかにも、指定した条件に合う連絡先を自動でリストにまとめてくれる「スマートリスト」も作成可能だ。名前や会社、住所、メール、メモなどを含むか含まないかといった条件を設定できる。スマートルールは自動で振り分けるリストなので、手動で連絡先を追加したり削除することはできない。

1　新規スマートリストを作成する

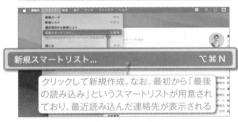

新規スマートリスト...　⌥⌘N

クリックして新規作成。なお、最初から「最後の読み込み」というスマートリストが用意されており、最近読み込んだ連絡先が表示される

連絡先アプリを起動したら「ファイル」→「新規スマートリスト」をクリックしよう。スマートリストの設定画面が開く。

2　自動で分類する条件を指定する

条件を指定する

スマートリスト名を入力し、まずは左側のポップアップメニューを開いて名前や会社、住所などの条件を指定し、キーワードを入力しよう。

3　指定した条件の振り分け方を指定

条件の振り分け方を指定する

右側のポップアップメニューで、指定した名前や会社、住所などの条件を含むか、含まないかといった振り分け方を指定しよう。

4　複数条件の適用方法を選択する

2つ以上の条件がある場合は、ここで複数条件の適用方法を選択する

右端の「+」ボタンで2つ以上の条件を追加した場合は、上部のメニューでいずれかの条件を満たすか、すべての条件を満たすかも選択しておこう。

5　条件に合う連絡先が自動で振り分けられる

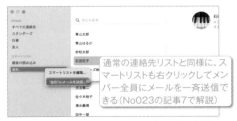

通常の連絡先リストと同様に、スマートリストも右クリックしてメンバー全員にメールを一斉送信できる（No023の記事7で解説）

条件に合う連絡先が、作成したスマートリストに自動で振り分けられる。なお、手動で連絡先の追加や削除はできない。

5 複数の写真や動画にまったく同じ加工を施す

複数の写真の色味 などを統一できる

写真アプリでは、写真のパラメーターを調整したりフィルタを適用して、さまざまな編集を施せる。この写真に対して行った一連の編集内容は、コピーして別の写真にペーストすることで、同じ編集内容をそのまま適用することが可能だ。複数の写真を選択すれば、まとめて同じ編集内容を適用することもできるので、大量の写真の色味を同じように調整したいときなどに活用しよう。

1 写真に編集を 加える

調整やフィルタで写真に編集を加えたら、右上の「完了」をクリックして適用

写真アプリで写真を開き、右上の「編集」をクリック。まずはひとつの写真に対して「調整」や「フィルタ」で編集を加えよう。

2 編集した写真の 編集内容をコピー

クリック

編集内容をコピー

編集を終えたらライブラリ画面に戻り、編集した写真を右クリックして「編集内容をコピー」を選択する。

3 複数の写真を選択し 編集内容をペースト

クリック

編集内容をペースト

同じ編集を加えたい写真を複数選択し、右クリックして「編集内容をペースト」を選択。コピーした一連の編集内容が選択した写真に適用される。

4 編集をペーストした 写真を元に戻す

クリック

オリジナルに戻す

編集をペーストした写真を選択して右クリックし、「オリジナルに戻す」をクリックすれば、いつでも編集前のオリジナル写真に戻せる。

POINT

コピー&ペースト できない編集項目

編集内容をコピー&ペーストできるのは調整の色味やフィルタなどの項目のみで、レタッチや赤目修正、切り取りツール、他社製の機能拡張を使った編集などはコピーできない。

切り取りなどの編集は個別に行おう

---

6 写真や動画を指定した形式やサイズで書き出す

ファイル形式の変更や 編集前の保存も可能

写真アプリ内の写真をMacに書き出すには、サムネイルをドラッグ&ドロップするのがもっとも手軽だが、ファイル形式やサイズを変更することはできない。写真を選択して「ファイル」→「書き出し」で、書き出し方法を細かく指定できるので覚えておこう。編集済みの写真から未編集のオリジナル写真を書き出したり、ビデオの品質を変更して書き出すことも可能だ。

1 写真アプリのファイル メニューから書き出す

10枚の写真を書き出す ⇧⌘E

クリック

写真アプリの写真を保存形式などを指定して書き出すには、写真を選択して「ファイル」→「書き出す」→「○枚の写真を書き出す」をクリック。

2 ファイル形式を 変更する

ファイル形式を指定する

「写真の種類」のメニューを開くと、書き出す際のファイル形式をJPEG、HEIC、TIFF、PNGから選択できる。

3 サイズを 変更する

サイズを指定する

「サイズ」ではフルサイズ、大、中、小に変更できるほか、「カスタム」でサイズを直接指定できる。あとは「書き出す」で保存すればよい。

4 ビデオの品質も 変更できる

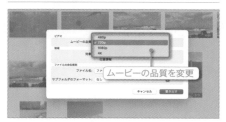

ムービーの品質を変更

ビデオの場合も、同様に「ファイル」→「書き出す」→「○本のビデオを書き出す」をクリック。「ムービーの品質」で品質を変更できる。

5 編集前の写真や ビデオを書き出す

10枚の写真の未編集のオリジナルを書き出す

クリック。オリジナルのまま書き出すので、ファイル形式やサイズは変更できない

編集を加えた写真やビデオを選択すると、「ファイル」→「書き出す」→「未編集のオリジナルを書き出す」で編集前の写真やビデオを保存できる。

7 重複した写真や動画をひとつに結合する

「重複項目」アルバム
で簡単に結合できる

写真アプリでは、ライブラリ全体から同じ写真を検出すると「重複項目」アルバムに一覧表示してくれる。まったく同じものだけでなく、解像度やファイル形式が異なる写真が検出される場合もある。重複した写真の「○個の項目を結合」ボタンをタップすると、もっとも品質の高い写真が残され、残りの重複写真は「最近削除した項目」に移動する。まとめて結合することも可能だ。

1 重複アルバムを
開いて結合する

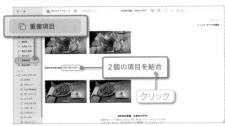

サイドバーで「重複項目」アルバムを開き、「○個の項目を結合」をクリックすると、品質の高い写真のみを残して他の写真を削除する。

2 すべての重複項目を
まとめて結合する

重複項目をまとめて結合するには、「command」+「A」ですべて選択し、右クリックから「○項目を結合」をクリックすればよい。

8 写真を柔軟にキーワード検索する

強力な検索機能を
使いこなそう

写真アプリは検索機能も強力で、何が写っているかを解析して自動で分類してくれる。「食べ物」「花」「犬」「ラーメン」「海」など一般的なキーワードで検索でき、複数キーワードで絞り込むことも可能だ。また、写真に写り込んだテキストなども検索対象になる。一枚一枚確認するよりも断然効率的なので、検索機能を使いこなして目的の写真をピンポイントで探し出そう。

1 右上の検索欄で
写真を検索する

ライブラリ画面右上の検索欄でキーワードを入力して検索しよう。写真のカテゴリなどの候補が表示されるので、これをクリックする。

2 複数のキーワードで
絞り込む

さらに撮影場所や日時、キーワードなどの候補を選択すると、複数のキーワードで絞り込める。「すべて表示」で絞り込まれた写真が一覧表示される。

9 リマインダーを家族や同僚と共有する

リマインダーのタスクを
共同で管理しよう

リマインダーのリストは他のユーザーと共有できる。あらかじめ「プロジェクト」「買い物」といったリストを作成して共有すれば、プロジェクトの進捗状況を社内で管理したり、家族で買い物リ

ストを共有して買い忘れを防ぐことができる。共有リスト内のタスクは、参加メンバーが自由に追加したり完了できるほか、タスクを特定のメンバーに割り当てることも可能だ。また、共有リスト内でタスクの追加や完了、割り当てなどが行われると、通知が届いて知らせてくれる。

リマインダーの割り当て

リマインダーの右端にポインタを合わせ「i」をクリックすると、「割り当て先」で共有中のメンバーにタスクを割り当てできる。

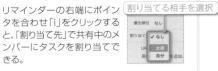

1 他のユーザーと
リストを共有する

リマインダーアプリで共有したいリストを作成して開いたら、共有ボタンからメッセージやメールで共有したい相手に参加依頼を送ろう。

2 共有リストを
管理する

共有したリストの右上に表示されるユーザーボタンから「共有リストを管理」をクリックすると、共有メンバーの追加や削除、共有の停止を行える。

3 タスクの追加などは
通知で確認できる

共有リストに参加したメンバーは、自由にタスクを追加したり削除できる。リストの追加や完了、タスクの割り当てなどが行われると通知が届く。

10 テキストエディットで文章を縦書きで入力する

横書きと縦書きを自由に変更できる

Launchpadの「その他」にある文章作成アプリ「テキストエディット」は標準だと横書きのレイアウトだが、縦書きに変更することも可能だ。テキストエディットを起動したら、ファイルを開いてメニューバーの「フォーマット」→「レイアウトを縦向きにする」をクリックしよう。縦書きで文字を入力できるようになり、入力済みのテキストも縦書きになる。横書きに戻したい時は、「フォーマット」→「レイアウトを横向きにする」をクリックすればよい。

1 レイアウトを縦向きにするをクリック

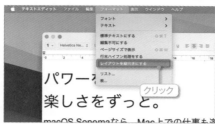

テキストエディットでファイルを開き、メニューバーの「フォーマット」→「レイアウトを縦向きにする」をクリックする。

2 縦書きで文字を入力できる

縦書きで文字を入力できるようになった。横書きのレイアウトに戻すには、「フォーマット」→「レイアウトを横向きにする」をクリックする。

11 複数の動画をひとつの動画につなげる

ドラッグ&ドロップで簡単に結合できる

MacのQuickTime Playerを使えば、簡単に複数の動画を結合することが可能だ。まずQuickTime Playerで動画をひとつ開いたら、画面内に結合したい他の動画をドラッグ&ドロップしよう。これだけで、開いた動画の最後にドラッグした動画が追加されて結合できる。再生順を変更したい時は、再生ウインドウ下部のタイムラインからクリップを選択して、ドラッグ&ドロップで移動すればよい。

1 再生画面に他の動画をドロップ

QuickTime Playerで動画をひとつ再生し、画面内に他の動画をドラッグ&ドロップするだけで、複数の動画を結合できる。

2 結合した動画の再生順を変更する

結合した動画ファイルは下部のタイムラインに追加される。このクリップをドラッグして移動すれば、再生順を自由に変更できる。

12 誤って削除した連絡先を復元する

iCloud.comで復元できる

連絡先アプリで連絡先を誤って削除してしまうと、即座に同期されてiPhoneやiPadの連絡先からも消えてしまう。そんな時は、SafariでiCloud.com（https://www.icloud.com/）にアクセスしよう。Apple IDでサインインを済ませて下の方にスクロールし、「データの復旧」→「連絡先を復元」をクリックすると、連絡先を復元可能なアーカイブが一覧表示される。あとは復元したい日時を選んで「復元」をクリックすれば、その時点の連絡先に復元され、削除した連絡先も元通りに戻る。

ファイルなども復元できる

iCloud.comの「データの復旧」画面では、他にも削除したファイルやブックマーク、カレンダーなどを復元できる。

1 データの復旧をクリック

SafariでiCloud.comにアクセスし、Apple IDでサインインしたら、下の方にある「データの復旧」をクリックする。

2 連絡先を復元をクリック

「連絡先を復元」をクリックしよう。なお、画面内に連絡先を復元可能な日時のアーカイブが表示されていなければ復元はできない。

3 復元したい日時の「復元」をクリック

復元したい日時を選んで「復元」をクリックすると、その時点の連絡先に復元され、削除した連絡先も元に戻る。

MacBookを傷や汚れから守っておきたいなら

デザイン性抜群の こだわりMacBookケース

本誌オススメのケースを ピックアップ

お気に入りのMacBookを大切に使いたいなら、専用ケースを利用しよう。ここではデザイン性に優れたおすすめのケースを紹介する。

MacBookにフィットする ソフトレザーケース

なめらかなソフトレザー素材を使用したスリーブ型インナーケース。MacBookにぴったりフィットして、カバンの中でかさばらないのが特徴だ。ボタンやファスナーもないシンプルなデザインで、使いたいときにすぐ取り出せるのもポイント。

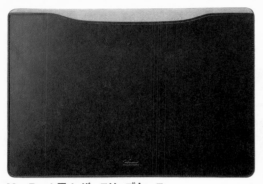

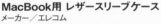

MacBook用 レザースリーブケース
メーカー／エレコム

サイズ	型番	実勢価格
13インチ用	BM-IBSVM2213シリーズ	3,780円(税込)
14インチ用	BM-IBSVM2214シリーズ	3,980円(税込)
16インチ用	BM-IBSVM2216シリーズ	3,058円(税込)

MacBookの外側を 完全に保護するケース

MacBookを傷から守りたいなら、外観全体をすっぽりと覆うハードシェルタイプのケースを利用したい。Incaseの「Hardshell Case」は、耐衝撃素材を採用した透明ケースで、MacBookの形にぴったりとフィット。使用中や持ち運び中に付いてしまう擦り傷などを防いでくれる。

MacBook Hardshell Case
メーカー／Incase

サイズ	実勢価格
MacBook Air 13インチ(2024、2022)用	8,800円(税込)
MacBook Pro 14インチ(2023、2021)用	8,800円(税込)
MacBook Pro 16インチ(2023、2021)用	8,800円(税込)

高級感のある人工レザーを使用した 上質なデザインのMacBookケース

MacBookをしっかりと保護してくれるケース。表面には再生繊維と植物由来素材による人工レザーを使用し、丈夫で汚れも落としやすくなっている。内側には柔らかなマイクロファイバーの裏地を使用。内ポケットも付いており、ケーブルやUSBハブなども収納できて便利だ。

The MacBook Portfolio
メーカー／von Holzhausen

サイズ	実勢価格
14インチ用	15,800円(税込)
16インチ用	15,800円(税込)

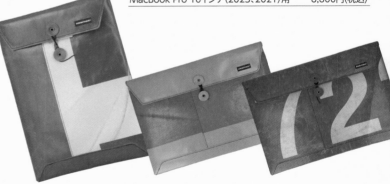

タフで頼りになるトラックの幌を使った ユニークなデザインのケース

トラックで使われていた幌を洗浄して再利用したMacBook用ケース。PVC製の丈夫な素材で、しっかりMacBookを守ってくれる。すべて一点物のデザインなので、公式ネットショップから気に入ったものを選ぼう。

LAPTOP SLEEVES
メーカー／FREITAG
URL／https://www.freitag.jp/ja/accessories/laptop-sleeves

サイズ	型番	実勢価格
13インチ用	F402 SLEEVE FOR LAPTOP 12"/13"	15,600円(税込)
14インチ用	F411 SLEEVE FOR LAPTOP 13"/14"	15,600円(税込)
16インチ用	F421 SLEEVE FOR LAPTOP 15"	16,400円(税込)

iPhoneやiPad、Windows との連携テクニック

iPhoneやiPadも使っているユーザーは、ぜひMacとの連携機能を試してみよう。
Sidecarやユニバーサルコントロールといった目立った機能だけではなく、試してみると便利すぎる
細かな連携機能も秀逸だ。Mac上でWindowsを使う方法も要チェック。

029 Sidecar

iPadを2台目のディスプレイとして使える
iPadをMacの
サブディスプレイとして利用する

デュアルディスプレイ
環境を簡単に構築できる

　iPadを、Macの2台目のディスプレイとして活用できる便利な機能が「Sidecar」だ。Sidecarに対応したMacとiPadを使用し、それぞれ同じApple IDでサインインしており、BluetoothとWi-Fi、Handoffが有効になっていれば利用できる。Macの画面の延長先にiPadの画面があるように使うこともできるし、Macと同じ画面をiPadに表示させることもできる。Sidecarで接続中はiPadの画面をタッチ操作できないが、Apple Pencilの操作には対応しているので、特にイラストを描く際などはiPadをペンタブレットのように活用することも可能だ。またMission Control（No001で解説）を使えば、Mac側はもちろんiPad側にもデスクトップを追加して、MacとiPadそれぞれで複数のデスクトップを切り替えながら作業できる。なお、SidecarではMacからiPadのアプリなどを操作することはできないが、「ユニバーサルコントロール」（No030で解説）を利用すれば、Macのマウスやトラックパッド、キーボードを使ってiPadを直接操作でき、ファイルの受け渡しなどもドラッグ&ドロップで行える。Sidecarとユニバーサルコントロールは排他利用なので、必要に応じて使い分けよう。

Macの画面とiPadの画面を連携させよう

Sidecarの利用条件

- ●macOS Catalina以降のMacBook（2016年以降）、MacBook Air（2018年以降）、MacBook Pro（2016年以降）、Mac mini（2018年以降）、iMac（2017年以降およびRetina 5K, 27-inch, Late 2015）、iMac Pro、Mac Pro（2019年以降）、Mac Studio（2022年以降）
- ●iPadOS 13以降のiPad（第6世代以降）、iPad Air（第3世代以降）、iPad mini（第5世代以降）、iPad Pro（全モデル）
- ●各デバイスで同じApple IDでサインイン
- ●ワイヤレスで接続する場合は、10メートル以内に近づけ、各デバイスでBluetooth、Wi-Fi、Handoffを有効にする。また、iPadはインターネット共有を無効にする
- ●有線で使う場合は、各デバイスともBluetooth、Wi-Fi、Handoffがオフでもよい。iPadでインターネット共有中でも利用できるが、その場合iPadのWi-FiとBluetoothはオンにする必要がある

表示方法1 　個別のディスプレイとして使用

Mac側ではテキストエディタで原稿を書く

Sidecarで実行できる2つのディスプレイ表示方法

表示方法1 個別のディスプレイ……別々の内容を表示

 →

画面を広く使える

iPadの画面をMacの画面の延長領域として使うモード。余分なウインドウをiPad側に置いて画面を広く使えるほか、Macにはアプリのメイン画面だけ配置してツールやパレットをiPad側に配置したり、ファイルを2つ開いて見比べながら作業したい時にも便利。

表示方法2 ミラーリング……同じ内容を表示

 →

ペンタブレット化も可能

Macと同じ画面をiPadにも表示するモード。プレゼンで相手に同じ画面を見せたい時などに役立つほか、iPadをペンタブレット化できる点も便利。Macでイラストアプリを起動すればiPad側ではApple Pencilを使ってイラストを描ける。

⊂⊃POINT

ユニバーサルコントロールに
切り替わってしまう場合は

SidecarでMacとiPadの画面をポインタで行き来していると、勝手にユニバーサルコントロールに切り替わり、Sidecarが解除されてしまうことがある。これを防ぐには「システム設定」→「ディスプレイ」で「詳細設定」ボタンをクリックし、「ポインタとキーボードを近くにあるすべてのMacまたはiPad間で移動することを」許可をオフにしておけばよい。ユニバーサルコントロールは使えなくなるが、Sidecarで安定して接続できる。

MacまたはiPadにリンク

ポインタとキーボードを近くにあるすべてのMacまたはiPad間で移動することを許可

ポインタとキーボードをiCloudアカウントにサインインしている近くのすべてのMacまたはiPadで使用できます。

オフにする

個別のディスプレイとして接続する操作手順

1 コントロールセンターから接続

Macのコントロールセンターを開き、「画面ミラーリング」をクリック。「ミラーリングまたは拡張」に接続可能なiPad名が表示されるので、これをクリックすればSidecarで接続できる。

2 個別のディスプレイを選択する

メニューバーの画面ミラーリングボタンをクリックしiPad名の横にある「>」をクリック。iPadをMacのサブディスプレイとして使う場合は「個別のディスプレイとして使用」を選択しよう。

3 Sidecarの接続を解除する

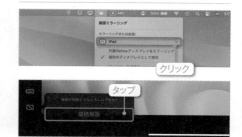

画面ミラーリングのメニューを開き、iPad名をクリックすると接続を解除できる。iPadのサイドバーにある接続解除ボタンをタップして「接続解除」をタップしてもよい。

ポインタの移動方法
ポインタは、Macの画面の端からiPadの画面へ移動して操作できる。iPad側ではポインタを指で操作できない

iPad側では必要な資料を表示しておけばいつでも確認できる。なお、iPadの画面でデスクトップに新規フォルダなどを作成した場合は、接続を解除するとMacのデスクトップに保存されている。iPadの画面にウィジェットを配置した場合は、接続を解除してもMacのデスクトップには移動せず、iPadと再接続した際にiPadの画面にウィジェットが復元される

ディスプレイの位置関係を変更する

iPadの画面を好きな位置にドラッグ。左右だけでなく上下にも配置できる。また白いメニューバーをiPad側にドラッグすれば主要ディスプレイに変更できる

「システム設定」→「ディスプレイ」を開き「配置」ボタンをクリックすると、MacとiPadの画面がつながる位置関係を自由に変更できる。

ユニバーサルコントロールに切り替える

キーボードとマウスをリンク

ユニバーサルコントロールに切り替えるには、「システム設定」→「ディスプレイ」でiPadの画面を選択して「使用形態」を「キーボードとマウスをリンク」に変更すればよい。

ウインドウを移動させる方法

1 ウインドウをドラッグして移動する

ウインドウを右端にドラッグ（Macの右側にiPadを配置している場合）

Macの画面でウインドウを右端にドラッグするとiPadの画面の左端にウインドウが表示される。ポインタがiPad側に移動した時点でウインドウも移動する。

2 フルスクリーンボタンで移動する

ウインドウのフルスクリーンボタンの上にポインタを置くとメニューが表示され、「iPadに移動」で素早くiPad側に移動できる。iPad側では「ウインドウをMacに戻す」でMac側に戻せる。

3 iPad側の画面で新しいウインドウを開く

メニューバーやDockから新しいウインドウを開く

iPad側の画面にもメニューバーやDockは表示できる。Mac側でウインドウを開いて移動しなくても、iPad側の操作で新しいウインドウを開くことが可能だ。

Mac側ではイラストアプリなどを起動。ペン入力以外の操作はMac側で行おう

MacとiPadで同じ画面が表示される

イラストを描いたり細かいフォトレタッチを行ったりは、Apple Pencilを使ってiPad側で行う

MacとiPadをミラーリングする手順

1 コントロールセンターから接続

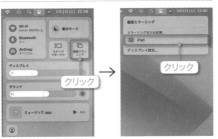

クリック

クリック

Macのコントロールセンターを開き、「画面ミラーリング」をクリック。「ミラーリングまたは拡張」に接続可能なiPad名が表示されるので、これをクリックすればSidecarで接続できる。

2 ミラーリングを選択する

クリック

メニューバーの画面ミラーリングボタンをクリックし、iPad名の横にある「>」をクリック。MacとiPadを同じ画面で使う場合は「内蔵Retinaディスプレイをミラーリング」を選択しよう。

3 Sidecarの接続を解除する

クリック

タップ

メニューバーの画面ミラーリングボタンをクリックし、iPad名をクリックすると接続を解除できる。iPadのサイドバーにある接続解除ボタンをタップして「接続解除」をタップしてもよい。

Sidecarを利用する際の注意点

1 Apple Pencilを使うなら解像度をiPadに合わせる

「システム設定」→「ディスプレイ」を開き、Macの「解像度の設定」を「iPad」に変更する

ミラーリング時の解像度がMac側に合っていると、iPadでApple Pencilを使う際に、ペン先とポインタの位置がずれることがある。これはディスプレイの設定で解像度をiPad側に合わせることで解消できる。

2 Apple Pencilのペアリングが解除される

iPadを再起動してペアリングし直す

Sidecarで接続した際に、Apple Pencilのペアリングがすぐ解除されるようなら、一度iPadを再起動してみよう。Apple Pencilを再度ペアリングし直せば、解消することが多い。

3 Sidecarを使わずPDFに手書きする方法

PDFに手書きしたいだけなら、いちいちSidecarで接続する必要はない。No033の記事3で解説している「連係マークアップ機能」を使えば、クイックルック画面から素早くiPadと連携してApple Pencilで編集できる。

POINT

個別ディスプレイで手書きするのも便利

Sidecarをミラーリングで利用すると、メニューの選択やテキスト入力といった操作をMac側で行い、イラストの描画やPDFの書き込みといった手書き操作はApple Pencilが使えるiPad側で行うなど、MacとiPadで同じ画面を見ながら操作の使い分けができる点が画期的だ。ただ、「個別のディスプレイとして使用」（P066で解説）に切り替えたほうが使いやすい場合もある。例えばMacで起動したイラストアプリを全部iPad側に移動して、Mac側に表示した資料を見ながら、iPad&Apple Pencilでイラストを描くといった使い方だ。利用シーンに合わせて、Sidecarの接続方法も切り替えよう。

Sidecarのさまざまな機能を利用する

1 iPadの画面にメニューバーを表示

メニューバーが表示される。iPad画面で画面の一番上にカーソルを動かしても表示できる

指やApple Pencilでタップ。サイドバーやTouch Barのボタンはポインタでは操作できない

iPadでウインドウをフルスクリーン表示している時は、サイドバー（iPad画面左側のメニュー）の左上ボタンでメニューバーの表示／非表示を切り替えできる。サイドバーのボタンは指やApple Pencilでタップできる。

2 iPadの画面にDockを表示する

タップ

Dockが表示される。iPad画面で画面の一番下にカーソルを動かしても表示できる

メニューバー表示ボタンの下のボタンをタップすると、iPadの画面にDockが表示され、Macの画面からはDockの表示が消える（個別のディスプレイの場合）。もう一度タップで元に戻る。

3 iPadで装飾キーを利用する

上から「command」「option」「control」「shift」キー。「command」キーで複数ファイルを選択する際など、Macのキーボードを使わずにiPadの画面だけで素早く操作できる

サイドバーには「command」や「option」などの装飾キーも用意されている。これらのキーはロングタップして利用できるほか、ダブルタップするとキーがロックされる。

4 サイドバーのその他のボタン

上から取り消し、キーボード、接続解除ボタン

サイドバーの左下にある3つのボタンで、直前の操作の取り消しや、キーボードの表示／非表示切り替え、Sidecarの接続解除を行える。

5 iPadでTouch Barを使う

画面下部のTouch Barで各種操作が可能。指やApple Pencilでタッチして操作する

Sidecarで接続すると、MacにTouch Barが搭載されていなくても、iPadの画面にTouch Barが表示される。MacBookのTouch Barと同じように機能しアプリごとにさまざまなメニューを操作できる。

6 サイドバーやTouch Barを隠す

「サイドバーを非表示」「Touch Barを非表示」を選択すると非表示になる

サイドバーやTouch BarがあるとiPadの作業領域が少し狭くなる。使わないなら非表示にしておこう。メニューバーの画面ミラーリングボタンをクリックすると表示／非表示を切り替えできる。

7 Apple Pencilでタッチ操作する

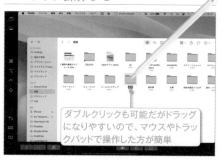

ダブルクリックも可能だがドラッグになりやすいので、マウスやトラックパッドで操作した方が簡単

Sidecarを利用中はiPadの画面を指でタッチ操作できないが、Apple Pencilを使えばポインタの移動やクリックなどをタッチ操作で行える。またイラストを描いたり手書き文字を入力することも可能だ。

8 Sidecar利用中にiPadアプリを使う

タップするとSidecarの画面に戻る

Sidecarを利用中でも、iPadの画面下端から上へスワイプしてホーム画面に戻ればiPadのアプリを利用することが可能だ。Dockに表示されるSidecarのアイコンをタップすると、Sidecarの画面に戻ることができる。

iPadの画面で使えるジェスチャー

iPad画面ではサイドバーやTouch Bar以外の画面を指でタッチ操作できないが、iPadのジェスチャーは利用できる。利用可能なジェスチャーは下記の通り。

スクロール	2本指でスワイプ
コピー	3本指でピンチイン
カット	3本指で2回ピンチイン
ペースト	3本指でピンチアウト
取り消す	3本指で左にスワイプするか、3本指でダブルタップ
やり直す	3本指で右にスワイプ

POINT

iPadスタンドの利用がおすすめ

iPadを個別のディスプレイとして接続する場合、iPadの画面と見比べながらMacで作業をすることになるので、iPadの画面が自立していないと使いづらい。iPadのサイズに対応したタブレットスタンドを別途用意して、iPadの画面を見やすい環境を整えておこう。

サンワダイレクト
200-STN035
価格／2,380円

ユニバーサルコントロールを使いこなそう

Macのマウスやトラックパッドで iPadを操作する

Macから手を離さず iPadをコントロールできる

Sidecar（No029で解説）はMacの画面を拡張したりミラーリングするための機能なので、MacからiPadの操作はできない。これに対し「ユニバーサルコントロール」は、Macのマウスやトラックパッドとキーボードを使って、近くにあるiPadを直接操作できるようにする機能だ。1台のMacから最大2台のiPadをコントロールでき、複数の画面をポインタがシームレスに行き来してデバイスの違いを意識せずに操作できる。Macで作業しながら手を離すことなくiPadアプリを利用できるので、LINEやSlackなどをiPadで開いておいて投稿や返信はMacから行ったり、iPadでYouTubeの動画を流しながら再生コントロールはMacから行うといった使い方ができる。さらにユニバーサルコントロールで接続されたデバイス間では、ドラッグ＆ドロップで手軽にファイルをやり取りすることもできる。MacにしかないファイルをiPadに受け渡したい時に重宝するほか、選択したテキストを相互にドラッグ＆ドロップすることも可能だ。なお、ユニバーサルコントロールでは、iPadだけではなく別のMacと連携して操作することもできる。

ユニバーサルコントロールの事前準備を確認しよう

ユニバーサルコントロールの利用条件

● macOS Monterey 12.3以降のMacBook（2016年以降）、MacBook Air（2018年以降）、MacBook Pro（2016年以降）、Mac mini（2018年以降）、iMac（2017年以降およびRetina 5K, 27-inch, Late 2015）、iMac Pro、Mac Pro（2019年以降）、Mac Studio（2022年以降）
● iPadOS 15.4以降のiPad（第6世代以降）、iPad Air（第3世代以降）、iPad mini（第5世代以降）、iPad Pro（全モデル）
● 各デバイスで同じApple IDでサインイン
● 各デバイスを10メートル以内に配置し、それぞれでBluetooth、Wi-Fi、Handoff を有効にする。また、iPadはインターネット共有を無効にする

矢印のポインタがMacの画面にある時は、通常通りマウスやトラックパッド、キーボードを使ってMacの画面やアプリを操作する

MacとiPadの事前の設定

Macの設定

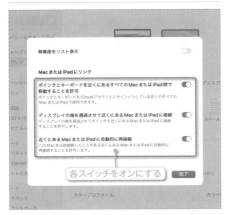

Macでは、「システム設定」→「ディスプレイ」→「詳細設定」をクリックし、「MacまたはiPadにリンク」の各スイッチをすべてオンにしておく。

iPadの設定

iPadでは、「設定」→「一般」→「AirPlay と Handoff」を開き、「カーソルとキーボード」のスイッチをオンにしておけばよい。

POINT

一部の他社製マウスはスクロール操作に不具合

サードパーティ製のマウスを利用している場合は注意が必要だ。マウスによっては、iPadの画面をスクロールできない不具合が発生する。例えばLogicoolのマウスだと、公式ユーティリティ「Logi Options+」に対応するマウスならユニバーサルコントロールを正式サポートするが、旧タイプの「Logi Option」にのみ対応する古いマウスは、MacとiPadの画面を行き来しているうちにiPad側の画面でスクロールが効かなくなる。

ユニバーサルコントロールを正式サポートするLogicool「MX MASTER 3S」などのマウスを利用しよう。

ユニバーサルコントロールを開始する

1 MacでiPadの方向にポインタを動かす

ポインタを画面端のさらに先まで動かし続ける

Macの近くにロックを解除したiPadを置いたら、MacでiPadがある方向にポインタを移動し、画面端まで到達してもさらに動かし続ける。

2 ポインタがiPadの画面内に移動する

ポインタがiPadの画面内に入るまで動かす

iPadの画面にポインタがはみ出す画面効果が表示されるので、ポインタをそのまま画面内まで押し進める。一度ポインタが移動すると、以降はポインタがスムーズに移動するようになる。

3 ディスプレイの配置を変更する

iPadの画面をドラッグして左や右、下に配置する

AppleメニューやDockで「システム設定」を開き、「ディスプレイ」→「配置」をクリック。MacとiPadの画面の位置関係を変更できる。iPadの画面は左右だけでなく下にも配置できるが上には配置できない。

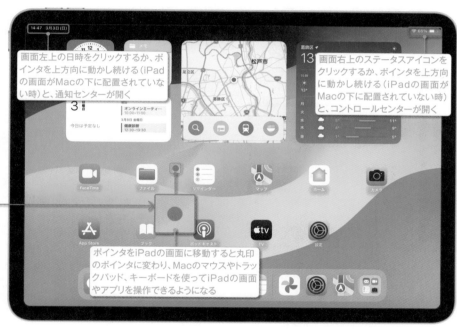

画面左上の日時をクリックするか、ポインタを上方向に動かし続ける（iPadの画面がMacの下に配置されていない時）と、通知センターが開く

画面右上のステータスアイコンをクリックするか、ポインタを上方向に動かし続ける（iPadの画面がMacの下に配置されていない時）と、コントロールセンターが開く

ポインタをiPadの画面に移動すると丸印のポインタに変わり、Macのマウスやトラックパッド、キーボードを使ってiPadの画面やアプリを操作できるようになる

ユニバーサルコントロールからSidecarに切り替える

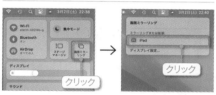

クリック　→　クリック

Sidecarに切り替えるには、コントロールセンターを開いて「画面ミラーリング」をクリックし、iPad名を選択しよう。Sidecarが開始され、自動的にユニバーサルコントロールはオフになる。

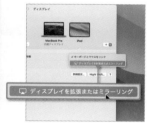

または、「システム設定」→「ディスプレイ」を開き、iPadの画面を選択。「使用形態」を「ディスプレイを拡張またはミラーリング」に変更してもよい。

マウスやトラックパッドによる各種操作

1 タップやロングタップなどの基本操作

1本指でクリックするとタップ操作になるなど直感的に操作できる

iPadの画面はマウスやトラックパッドのジェスチャで操作する。トラックパッドの場合は、1本指でクリックしてタップ、長押しでロングタップ、クリックしたまま動かしてドラッグする。

2 DockやAppスイッチャーの表示とホーム画面の戻り方

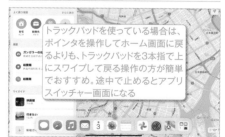

トラックパッドを使っている場合は、ポインタを操作してホーム画面に戻るよりも、トラックパッドを3本指で上にスワイプして戻る操作の方が簡単でおすすめ。途中で止めるとアプリスイッチャー画面になる

ポインタを画面最下部から下に動かすとDockが表示され、さらに下に動かすか下部のバーをクリックするとホーム画面に戻る。ホーム画面で画面最下部から下に動かすとアプリスイッチャーが開く。

3 画面をスクロールする操作

ホーム画面のページ切り替えは、マウスの場合ホーム画面をクリックしたまま左右に動かせばよい。トラックパッドの場合は2本指で左右にスワイプ。なお、スクロールの方向を逆にしたい場合は、iPadの「設定」→「一般」→「トラックパッドとマウス」の「ナチュラルなスクロール」のスイッチをオフにしよう

マウスではホイールボタンでスクロール操作ができるほか、Magic Mouseなら1本指でマウスの表面を上下左右に動かして上下左右のスクロールが可能だ。トラックパッドの場合は2本指で上下左右にスワイプすれば上下左右にスクロールできる。

ユニバーサルコントロールの各種操作

1 Macのキーボードで文字を入力する

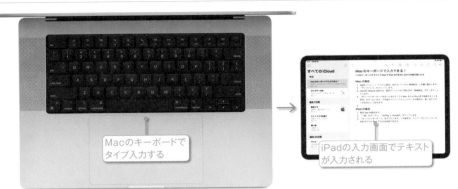

Macのキーボードで
タイプ入力する

iPadの入力画面でテキスト
が入力される

ユニバーサルコントロールの利用中はマウスやトラックパッドだけでなくキーボードも共有されるので、ポインタが iPadの画面内にある状態で入力画面を開くと、Macのキーボードを使ったテキスト入力が可能だ。ただし、日本語入力 システム自体はiPadのものを使用するので、Macの変換履歴やATOKなどのユーザ辞書は利用できない。

2 オンスクリーンキーボードに切り替える

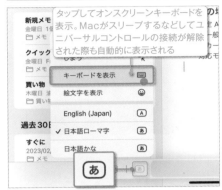

タップしてオンスクリーンキーボードを 表示。Macがスリープするなどしてユニ バーサルコントロールの接続が解除 された際も自動的に表示される

iPadのオンスクリーンキーボードを使いたい時は、テ キスト入力中に表示されるツールバーで「あ」「A」など のボタンをタップし、メニューから「キーボードを表示」 をタップすればよい。

3 ファイルや写真などを相互にドラッグ&ドロップ

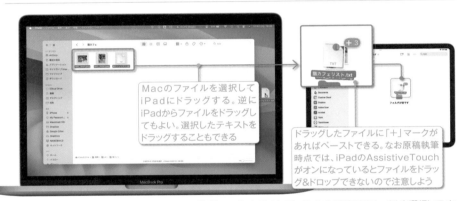

Macのファイルを選択して iPadにドラッグする。逆に iPadからファイルをドラッグし てもよい。選択したテキストを ドラッグすることもできる

ドラッグしたファイルに「+」マークが あればペーストできる。なお原稿執筆 時点では、iPadのAssistiveTouch がオンになっているとファイルをドラッ グ&ドロップできないので注意しよう

ユニバーサルコントロールは、デバイス間のドラッグ&ドロップにも対応している。片方の画面でファイルを選択して、も う片方の画面まで移動するだけで、手軽に双方でファイルをやり取りすることが可能だ。ただし、ドラッグした際に「+」 マークが表示されるファイルはペーストできるが、丸にスラッシュが入った禁止マークが付いているとペーストできない。

POINT

こんなシーンで活用しよう

デバイス間のドラッグ&ドロップが特に便利なのは、 Macにしかないファイルを手軽にiPadアプリに 転送できる点だ。iPadは複数の場所に散らばった 画像やファイルを一箇所にまとめる操作にあまり 向いていないので、例えばGoodNotesなどの手 書きノートアプリと組み合わせれば、必要な画像 やファイルをMacからさっとドラッグしてノートに 追加でき資料の作成がはかどるはずだ。

4 2台のiPadを同時に接続する

1台目 ユニバーサル コントロールで接続

2台目 Sidecarで接続

ユニバーサルコントロール最大2台まで接続できるので、MacにiPadを2台を接続して、 それぞれでMacのマウスやトラックパッド、キーボードを行き来して操作することが可能 だ。接続デバイスを増やすには、Appleメニューで「システム設定」→「ディスプレイ」を 開き、「+」をクリック。「キーボードとマウスをリンク」欄から追加したいデバイスを選択 すればよい。なお、上記のようにMacの左右にiPadをそれぞれ配置しなくても、右(左)

に2台のiPadを並べてもいい。1台をユニバーサルコントロールで接続し、もう1台は Sidecarで利用することも可能だ。なお、2台をユニバーサルコントロールで接続するこ とはできるが、2台ともSidecarで接続することはできない。さらに、ユニバーサルコン トロールはMacを接続することもできるので、iPad1台と別のMac1台を接続して利用 することもできる。

2台以上のディスプレイを接続するための基礎知識
マルチディスプレイ環境で
Macを効率的に使う

---

1 マルチディスプレイ接続時の設定方法

Macのデスクトップ画面を拡張してさらに使いやすく

Macでの作業効率を向上させたいなら、複数の外部ディスプレイを接続したマルチディスプレイ環境を構築してみよう。マルチディスプレイ環境では、デスクトップの領域を複数画面にまたがって広げられるため、複数アプリの同時使用がやりやすくなる。たとえば、1台目のディスプレイには作業中のエクセルを全画面で表示しつつ、2台目にはブラウザやメールなどの補助的なアプリを表示しておく、といった使い方が可能だ。自分のMacと接続できる外部ディスプレイを用意して接続したら、システム設定でディスプレイの配置などを使いやすいように設定しておこう。これでデスクトップの作業領域が拡張される。また「Mission Control（No001で解説）」の仮想デスクトップと組み合わせれば、さらに大幅なデスクトップ拡張が可能だ。

ディスプレイの使用形態や配置を設定する

1 接続されたそれぞれのディスプレイを設定する

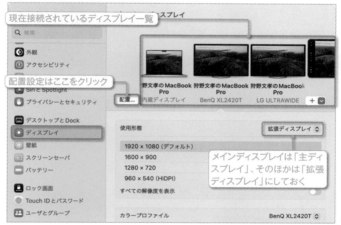

現在接続されているディスプレイ一覧

配置設定はここをクリック

Macのビデオポート（下記事参照）に複数のディスプレイを接続したら、Appleメニューから「システム設定」→「ディスプレイ」を開こう。現在接続されているディスプレイが一覧表示される。それぞれのディスプレイをクリックすると、使用形態や解像度などを個別に設定可能だ。使用形態で設定できるのは、「主ディスプレイ」、「拡張ディスプレイ」、「ミラーリング」の3種類。作業環境を拡張したい場合、メインのディスプレイは「主ディスプレイ」にしておき、そのほかは「拡張ディスプレイ」に設定しておくとよい。

メインディスプレイは「主ディスプレイ」、そのほかは「拡張ディスプレイ」にしておく

2 「配置」からディスプレイの位置を設定しよう

画面をドラッグ＆ドロップして配置を設定する

「配置」ボタンから各ディスプレイの配置設定を行う。それぞれのディスプレイが正しい位置関係でつながるように、各画面をドラッグ＆ドロップで設定しておこう。

3 ドラッグ＆ドロップで主ディスプレイを設定できる

メニューバーをドラッグ＆ドロップすると主ディスプレイを設定できる

主ディスプレイに設定している画面上部にはメニューバーが表示されている。これを他の画面にドラッグ＆ドロップすれば、その画面を主ディスプレイに設定可能だ。

同じ画面を表示したい場合はミラーリングに設定しておこう

ディスプレイの使用形態を「ミラーリング」に設定すると、指定したほかのディスプレイと同じ画面を表示できる。画面の解像度をどちらに合わせるかも設定可能だ。

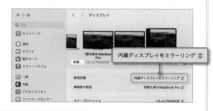

内蔵ディスプレイをミラーリング

POINT

Macに搭載されているビデオポートの種類について

Appleシリコンが搭載された最近のMacでは、ビデオ出力用のポートとして、おもにThunderbolt 3／4、USB-C、HDMIの3種類のいずれかが使われている。Macとディスプレイの双方でどのポートに対応しているかを確認し、必要であれば変換ケーブルやアダプタを用意して接続しよう。

最近のMacに搭載されているおもなビデオポート

ビデオポート	ポートの見た目	説明
Thunderbolt 3（USB-C）、Thunderbolt/USB 4、およびThunderbolt 4（USB-C）	⚡	Thunderbolt3または4対応ポートを搭載したディスプレイなら、Thunderboltケーブル（USB-CポートならUSB-Cケーブル）でそのまま接続可能。変換ケーブルやアダプタを介することで、DisplayPort、DVI、HDMI、VGAなどの各種ポート搭載ディスプレイにも接続できる。
USB-C	⬭	
HDMI	⬭	HDMIポートが搭載されているディスプレイにHDMIケーブルで接続が可能。

MacBookでクラムシェルモードを使う

MacBookをデスクトップパソコン感覚で扱える

　MacBookと外部ディスプレイを接続する際は、MacBookを開いた状態で使いつつ、デスクトップの領域を拡張するために外部ディスプレイを使うのが基本となる。とはいえ、机の上が狭く、MacBookを置く場所もないというときは、「クラムシェルモード」で使ってみよう。クラムシェルモードとは、MacBookを閉じた状態にして、外付けのディスプレイと接続して使用する形態のこと。MacBookを縦置きスタンドなどに収納すれば、超省スペースなデスクトップパソコンのように扱うことができる。また、大画面のディスプレイにつなぐことで、MacBook単体より作業効率がアップするというメリットも。このクラムシェルモードを使うには、以下でまとめたようなアイテムが必要になるので用意しておこう。

自宅や会社では「クラムシェルモード」が使いやすい

MacBookを閉じてディスプレイに接続

MacBookを外部ディスプレイと接続し、クラムシェルモードで利用している図。大きな画面で作業がしやすい。写真は、Satechiのスタンド（下記で紹介）にMacBookとiPadを立てかけている状態だ。

クラムシェルモードを使うために必要なもの

1 外付けディスプレイ

UltraFine 4K Display 24MD4KL-B
メーカー／LG
実勢価格／81,460円（税込）

クラムシェルモードにまず必要なのは外部ディスプレイだ。LGのUltraFine 4K Display（23.7インチ）であれば、Thunderbolt 3ケーブル1本で接続できる。

2 外付けキーボードとマウス

Appleシリコン搭載Macモデル用 Touch ID搭載Magic Keyboard
メーカー／Apple
実勢価格／19,800円（税込）

Magic Mouse
メーカー／Apple
実勢価格／10,800円（税込）

外付けのキーボードとマウスも必須。できれば有線よりも無線の方が使いやすい。Appleの純正Magic KeyboardとMagic Mouseがあればベストだ。

3 MacBook用スタンド

デュアルバーティカルアルミニウムスタンド
メーカー／Satechi
実勢価格／5,881円（税込）

MacBookを閉じたまま縦置きで収納できるスタンド。傾斜が少し付いており、iPhoneやiPadを手前に立てかけて使うこともできる。スタイリッシュな見た目も好印象だ。

Curve Stand for MacBook
メーカー／Twelve South
実勢価格／9,200円（税込）

設置スペースに余裕がある場合は、浮遊型スタンドもオススメ。外部ディスプレイとの接続がうまくいかなかったときなどに、すぐ本体を開いて操作できる。

HDMI端子がないMacBookでHDMI接続するには？

PowerExpand+ 5-in-1
メーカー／Anker
実勢価格／5,090円（税込）

HDMI端子が搭載されていないMacBookの場合、ディスプレイとの接続には注意が必要だ。もし、MacBookと外付けディスプレイをHDMIケーブルで接続したい場合は、HDMI端子付きのUSB-Cハブも別途用意しておこう。

クラムシェルモードを使うための手順

必要なデバイスを接続して MacBookを閉じよう

クラムシェルモードに移行するには、まず、電源アダプタをMacBookに直接接続し、外付けキーボードやマウス、ディスプレイも接続しておこう。あとは、MacBookを閉じれば自動でクラムシェルモードになる。もちろん、MacBookを開いたまま使ってもいい。

1 MacBookに電源アダプタを直接接続する

電源ケーブルを直接接続する

USB-Cハブ経由では十分に給電されない恐れがあるので、電源ケーブルは直接MacBookに接続しよう。

2 外付けのキーボードとマウスを接続する

Bluetoothデバイスを接続

外付けキーボードとマウスを使えるようにしておこう。Bluetooth接続のデバイスを使う場合は、「システム設定」の「Bluetooth」からペアリングしておく。

3 外付けディスプレイを接続する

ディスプレイの配置や解像度などを設定

次に外付けディスプレイを接続しよう。接続したら、「システム設定」の「ディスプレイ」から各ディスプレイの解像度や配置などを使いやすいように設定しておく。

4 MacBookを閉じればクラムシェルモードになる

外部ディスプレイでメインの画面が表示される

MacBookを閉じれば、自動でクラムシェルモードに切り替わる。外部キーボードとマウス、ディスプレイで操作しよう。

MacBookのスタンドは冷却にも役に立つ

MacBookを外部ディスプレイと接続した場合、通常よりも処理に負荷がかかりやすく、本体の温度が上がりやすい。特に夏場は、机に置いたまま使うと本体に熱がこもって不具合が発生する可能性もある。MacBook用のスタンドを使うと本体の熱を効率よく冷却できるので、安定した動作が可能だ。

POINT

外部ディスプレイの最大同時出力数には制限がある

Appleシリコン搭載のMacでは、外部ディスプレイの最大同時出力数に制限がある。例えば MacBook ProのM3であれば1台の外部ディスプレイ、M3 Proであれば最大2台、M3 Maxであれば最大で4台まで同時出力が可能だ。また、Macでは、本体のThunderbolt/USB-C端子1つにつき1つの映像のみが出力される。そのため、ディスプレイ出力端子が複数あるUSB-Cハブを使っても、別々の映像を映すことができないので注意。ちなみに、AirPlayやSidecarで外部に映像を出力した場合でもクラムシェルモードが使える。

HDMI端子付きのUSB-Cハブを選ぶときの注意点

HDMI端子×2

上の製品のようにHDMI端子が2つ以上あるようなアダプタには要注意。MacBookでは、本体のUSB-C端子1つにつき、1つの映像しか出力することができない。そのため、上のアダプタでディスプレイを2台つないだとしても、別々の映像を映すことができず、同じ映像のミラーリングしか行えないのだ。

クラムシェルモードでもiPadのSidecarを利用可能

クラムシェルモードでもiPadのSidecar（No029で解説）を利用できる。iPadをデスクトップの拡張領域にしたり外部ディスプレイの画面をミラーリングしたりが可能だ。接続方法は通常モードの場合と変わらないので、ぜひクラムシェルモードでもマルチディスプレイ環境を試してみよう。

Windows用のアプリはMacでも動かせる

Mac上でWindowsを利用するための最新手順

1 Parallels DesktopでWindowsをインストールする

1台でmacOSもWindowsも使えるように

MacBookでWindows用のアプリを使いたいのであれば、高性能なデスクトップ仮想化ソフト「Parallels Desktop」を使ってみよう。macOSのウインドウ内で、Windows 11自体やWindows用のアプリが起動可能だ。Windows 11の新規ライセンスさえあれば、インストールメディアなしで手軽にWindows 11の仮想環境をセットアップできるので導入も簡単。買い切り版と年額制のサブスクリプション版が用意されているので、好みの方を購入しておこう。

Parallels Desktop 19 for Mac
作者／Parallels International GmbH
価格／Standard Edition 11,500円／
Pro Edition 年額12,900円
入手先／https://www.parallels.com/jp/

Parallels DesktopでWindowsをインストールする

1 Parallels Desktopのインストーラーを実行する

まずは、Parallels Desktopを公式サイトなどで購入してインストーラーをダウンロード。インストーラーを実行して、使用許諾契約に同意しておこう。

2 各種ディレクトリへのアクセス権限を許可しておく

上の画面で「次へ」を押すと、各種ディレクトリへのアクセス許可が求められる。「OK」を押してすべて許可したら、「完了」をクリックして設定を進めていこう。

3 Parallelsアカウントにサインインする

上の画面になったら、Parallelsの新規アカウントを作成してサインインしておこう。Apple IDやFacebookアカウント、Googleアカウントを利用することもできる。

4 ライセンスを入力してアクティベートしておく

ライセンスを購入する場合は「キーを入力」→「購入」をクリック

次に、Parallels Desktopのライセンスをアクティベートしておく。まだライセンスを購入していない人は、公式ページで購入手続きを進めておくこと。

5 「Windowsのインストール」をクリックする

Parallels Desktopでは、Windows 11のダウンロードとインストールを自動で行ってくれる。上の画面になったら「Windowsのインストール」をクリックしよう。

6 Windowsがダウンロードされてインストールが開始される

Windows 11のデータがダウンロードされ、自動的にインストール作業も行われる。途中、カメラやマイクのアクセス権限が求められるので許可しておこう。

7 Parallels ToolboxはインストールしなくてもOK

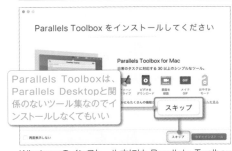

Parallels Toolboxは、Parallels Desktopと関係のないツール集なのでインストールしなくてもいい

Windowsのインストール中には、Parallels Toolboxのインストールが促される。特に必要ない場合は「スキップ」を押してインストールを飛ばしておこう。

Intelプロセッサ搭載機種ならBootCampが使える

Intelプロセッサを搭載した旧世代のMacでは、macOSの標準機能である「Boot Campアシスタント」を使うことで、MacにWindows 10をインストールして起動させることが可能だ（Windows 11のインストールには未対応）。「Boot Campアシスタント」は、「アプリケーション」フォルダの「ユーティリティ」フォルダに入っている。なお、Appleシリコン搭載機種では、BootCamp自体が非搭載なので使うことができない。

8　Windowsの使用許諾契約に同意する

しばらく待つと「インストールが完了しました」と表示されるので、画面をクリックしよう。Windowsの使用許諾契約が表示されるので「同意」ボタンをクリックする。

9　Windowsが起動してブラウザで説明が表示される

説明は英文なのでブラウザの翻訳機能で翻訳する

インストールが終了すると、Windowsが起動する。自動的にWebブラウザ（edge）が起動し、Parallels Desktopの説明が表示されるので、目を通しておこう。

10　スタートメニューから設定を表示してみよう

スタートメニューから設定を起動する

このWindowsを使うには、Windows11のライセンス認証が必要だ。画面中央下のスタートボタンを押したら、「設定」をクリックしよう。

11　Windows 11のプロダクトキーを入力する

設定画面が表示されたら「システム」→「ライセンス認証」を開き、「プロダクトキーを変更する」でWindows 11のプロダクトキーを入力して認証しておこう。

Windows 11の新規ライセンスはどこで買える？

Windows 11の新規ライセンスは、マイクロソフトの公式サイトでも購入できるが、Amazonで購入する方が安い。記事執筆時点（2024年5月13日）での実勢価格は、オンラインコード版のHomeで17,600円、Proで25,800円となっている。

12　MacBookでWindows 11が起動できた

macOSのウインドウ内でWindows 11が起動できるようになった

Windows 11のセットアップ完了！

これでWindowsのインストールが完了だ。今後は、Parallels Desktopを起動すれば、Windows 11をmacOSのウインドウ内で起動できるようになる。詳しい使い方は次ページから解説していく。なお、初期状態のままだとWindows 11の日本語キーボードに不具合があるので、以下で紹介した言語設定もしておくこと。

Windows 11の言語設定を行っておく

MacBookで文字入力できるようにする

Parallels Desktopで起動したWindowsでは、Macの日本語用キーボードを使って文字入力すると一部のキーが正しく動作しない。「@」キーを押すと「[」が入力されたり、「かな」キーや「英数」キーがうまく動作しなかったりなどの不具合があるのだ。事前に以下の設定を行っておこう。

1　Windowsの設定で言語オプションを表示する

「日本語」以外の言語があった場合は「…」から「削除」しておこう

Windowsのスタートボタン→「設定」→「時刻と言語」→「言語と地域」で、言語リストを「日本語」のみにする。「日本語」の「…」から「言語のオプション」を選択しよう。

2　キーボードレイアウトを日本語キーボードにする

日本語キーボード (106/109 キー)

「キーボードレイアウト」欄にある「レイアウトを変更する」ボタンを押し、「日本語キーボード（106/109キー）」を選択して「今すぐ再起動する」をクリック。

3　キー割り当てを変更する

「オン」にして無変換キーと変換キーの設定を行う

再起動後、先ほどの「言語のオプション」画面を再び表示し、「Microsoft IME」欄の「…」をクリック。「キーボードオプション」→「キーとタッチのカスタマイズ」を選択したら、上のように設定しておこう。

Parallels Desktopの基本的な使い方

MacBookのユーザフォルダがミラーリングで共有される

Parallels Desktopを起動すると、すでにセットアップしてあるWindows環境が起動する。通常のWindowsと大きく異なるのは、Mac側の「デスクトップ」や「書類」、「ダウンロード」などの各種ユーザフォルダがWindows側にミラーリング状態で共有されている点だ。これにより、MacとWindows間ですぐにファイルを共有できる。また、Windows側でアプリを起動しているときは、Mac側のDockにアプリアイコンが表示され、クリックで切り替えが可能だ。なお、Parallels Desktopを終了する場合は、メニューバーアイコンから「Parallels Desktopの終了」を選ぼう。次回起動時は終了直前の状態から再開できる。

1 Parallels Desktopでの Windowsのデスクトップ画面

「Mac Files」フォルダからMacのホームフォルダやiCloud Driveフォルダにアクセスできる

デスクトップの内容はMacと共有される

Windowsのデスクトップに表示される内容は、Mac側のデスクトップをミラーリングした状態で共有される。たとえば、Mac側でデスクトップに新規フォルダを作ったとすると、Windows側のデスクトップにも反映される仕組みだ。そのほかにもMac側の「書類」や「ミュージック」、「ダウンロード」などのユーザフォルダも共有される（下記記事参照）。また、Windows側のデスクトップにある「Mac Files」フォルダを開くと、MacのホームフォルダやiCloud Driveフォルダにアクセス可能だ。

2 起動しているアプリを Dockから切り替えられる

Windowsで起動中のアプリがDockに表示される

Windows側でアプリを起動すると、Mac側のDockに起動中のアプリが個別に表示される。ここをクリックすれば、Windows側のアプリを切り替え可能だ。

3 メニューバーから 各種設定などが行える

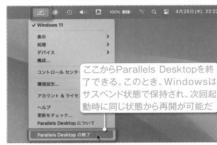

ここからParallels Desktopを終了できる。このとき、Windowsはサスペンド状態で保持され、次回起動時に同じ状態から再開が可能だ

Parallels Desktopの起動中は、Macのメニューバーアイコンから各種設定を呼び出せる。終了したい場合は、一番下の「Parallels Desktopの終了」を選ぼう。

Macからミラーリング共有するフォルダをカスタマイズする

WindowsとMacで同期するフォルダは設定で変更できる。一旦Windowsをシャットダウンして、Parallels Desktopのメニューバーアイコンから「コントロールセンター」を表示。歯車マークから構成画面を表示して「オプション」→「共有」→「Macを共有する」→「カスタマイズ」で設定を変更しよう。

Windows環境に適したショートカットキー設定を行う

ショートカットキーを使えるようにしよう

Parallels DesktopのWindowsでは、ショートカットキーが思った通りに動かない場合がある。これはWindowsとMacでショートカットキーが被っているのがおもな原因。各種設定でこれらの被りを解消しておこう。また、ファンクションキーを頻繁に使うなら「F1、F2などのキーを標準のファンクションキーとして使用」もオンにしておこう。

1 Parallels Desktopの ショートカットキーを確認する

ショートカットキーの割り当てを確認して必要なら変更する

メニューバーアイコンから「環境設定」を開き、「ショートカット」→「Windows 11」をクリック。ここでは、Mac側のショートカットキーとWindows側のショートカットキーの割り当てを確認できる。

2 Mac側の使わない ショートカットキーをオフにする

使わないならオフにしておく

Windows側では使うが、Mac側では使わないショートカットキーがあるなら、Mac側をオフにしておくといい。Macの「システム設定」→「キーボード」→「キーボードショートカット」で各種ショートカットキーを調べてみよう。

3 標準のファンクションキーを 使えるようにする

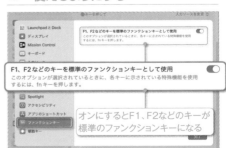

オンにするとF1、F2などのキーが標準のファンクションキーになる

ファンクションキーをよく使うなら、Macの「システム設定」→「キーボード」→「キーボードショートカット」→「ファンクションキー」で、「F1、F2などのキーを標準のファンクションキーとして使用」をオンにしておこう。

「Coherenceモード」でWindowsアプリを単体で起動する

Windowsのアプリを独立したウインドウで起動する

Parallels Desktopには「Coherenceモード」という機能がある。これは、WindowsアプリをMac用アプリのように独立したウインドウで起動できるモードだ。さらに、WindowsアプリをLaunchpadに登録しておけば、いちいちParallels DesktopからWindowsを起動する必要なく、直接Windowsアプリが起動できる。Coherenceモードを終了する場合は、メニューバーアイコンから「表示」→「Coherenceの終了」を選ぼう。

1 ウインドウの青いボタンを押してみよう

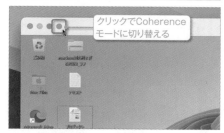

Coherenceモードを使うには、Parallels Desktopのウインドウの左上にある青いボタンをクリックしてみよう。すると、Windowsのウインドウが隠れる。

2 スタートボタンから起動するアプリをクリック

Coherenceモードになったら、DockにあるWindowsのスタートボタンをクリックしてみよう。するとスタートメニューが表示されるので起動したいアプリをクリック。

3 Windowsのアプリが独立したウインドウで起動した

これでWindowsのアプリが独立したウインドウで起動する。これならWindows環境を意識することなく、通常のMac用アプリと同じように扱うことが可能だ。なお、ウインドウを動かす際は最上部のタイトルバー部分をドラッグ&ドロップすればいい。また、ウインドウを閉じる場合は、ウインドウ右上の「×」ボタンを押そう。

4 Launchpadにアプリを登録する

Dockに表示されるWindowsアプリのアイコンを右クリックしたら「Launchpadに追加」を選択してみよう。すると、WindowsアプリがLaunchpadに登録される。今後は、Launchpadから直接アプリを起動可能だ。

POINT

Windowsのデスクトップやタスクバーを表示する

Parallels DesktopでWindowsを起動しているときは、WindowsのタスクバーをMacのデスクトップに表示可能だ。メニューバーアイコンから「表示」→「Windows タスクバーを表示する」を選択してみよう。画面最下部にタスクバーが表示され、Windowsと同じように操作できる。また、「Windows デスクトップを表示する」でWindowsのデスクトップを一時的に表示することも可能だ。

Parallels DesktopでWindowsを起動している状態で、メニューバーアイコンから「表示」→「Windows タスクバーを表示する」を選択しよう。

Macのデスクトップ最下部にWindowsのタスクバーが表示される。スタートボタンや検索欄など、通常のWindows環境とまったく同じように操作できる。

2 Windowsの新規ライセンスなしで使える「CrossOver」

手軽にWindowsアプリを起動できるエミュレーター

「CrossOver」は、Windowsのライセンスなしで、WindowsアプリをmacOSで実行できるエミュレーションアプリだ。Parallels DesktopのようにWindowsの仮想環境を起動してからアプリを実行するのではなく、直接Windowsアプリを起動できるのが特徴。手軽かつ安価にWindowsアプリを使いたい人におすすめだ。

CrossOver
作者／CodeWeavers
価格／494ドルまたは年額74ドル
（14日間無料の体験版あり）
入手先／https://www.codeweavers.com/crossover/

CrossOverでWindowsアプリをインストールしよう

1 公式サイトからアプリをダウンロードしよう

まずは、CrossOverの公式サイトにアクセス。Mac版の「FREE TRIAL」をクリックし、名前とメールアドレスを入力すればアプリをダウンロードできる。

2 アプリをインストールして体験版を使用しよう

ダウンロードしたアプリをダブルクリックし、表示される指示に従いつつ「アプリケーションフォルダーに移動する」をクリック。アプリが起動したら「自動で確認」→「今すぐ体験版を使用する」をクリックしよう。

3 インストールしたいWindowsのアプリ名を検索

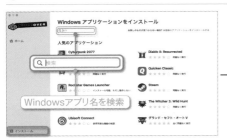

Windowsアプリ名を検索

→

Windows アプリケーションをインストール

対応アプリリストを検索してヒットしたアプリが表示される

Agatha Christie: 4:50 from Paddington ★★★★☆ 問題なく実行	ClassPad Manager 3.06 Pro ★★★☆☆ 使用可能な機能の制限
Notepad++ ★★★★★ 全く問題なく実行	TeraPad ★★★★☆ 使用可能な機能の制限
TextPad ★★★★★ 全く問題なく実行	TreePad Business Edition ★★★★★ 全く問題なく実行
XML Notepad ★★☆☆☆ インストール可能、ただし動...	

★★★★★ 全く問題なく実行

CrossOver上で正しく実行できるかどうかが★マークで評価されている

CrossOverが起動したら、画面左下の「インストール」をクリック。インストールしたいWindowsアプリの名前を検索しよう。CrossOverは、インストールに対応したアプリリストから好きなものを選び、アプリのインストールを行う仕組みだ。対応アプリリストには、海外製の有名ゲームから日本製のテキストエディタなど、幅広いアプリが登録されている。ただし、リストにあるすべてのアプリが正しく実行できるとは限らず、アプリによっては不具合が出るものもあるようだ。各アプリの動作状況は、アプリ名の下にある★マークで判断しよう。

4 目的のアプリのインストーラーをダウンロード

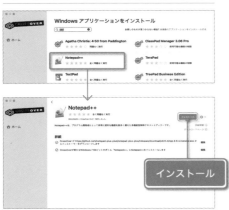

インストール

キーワード検索して目的のアプリを見つけたら、アプリ名をクリック。アプリの説明などが表示されるので確認し、問題なければ「インストール」をクリックしよう。

5 アプリのインストーラーが起動する

インストーラーが起動するのでインストールを進める。なお、アプリによっては文字化けなどの不具合が発生することがある

CrossOverでは、対応アプリのインストーラーを自動でダウンロードしてくれる。インストーラーが起動したら画面の指示に従ってインストールを進めよう。

6 Windowsアプリが起動する

アプリが起動した

アプリによってはインストール後に自動で起動する。起動しない場合は、CrossOverのボトル一覧からアプリ名を選んで起動しよう（右ページで解説）。

対応アプリリストにないWindowsアプリをインストールする

未登録アプリもインストーラーがあればインストールできる

CrossOverでは、対応アプリリストに登録されていないアプリもインストール可能だ。その場合は、自分でインストーラーをダウンロードしておく必要がある。インストーラーが入手できたら、CrossOverの画面左下にある「インストール」から「未登録のアプリケーションをインストールする」をクリック。上の「編集」ボタンでインストーラーのファイルを指定し、下の「編集」ボタンでボトル名などを設定しよう。あとは「インストール」を押せばインストールされる。ただし、アプリによってはうまく動かない可能性もある。

1 Windowsアプリのインストーラーを入手する

目的のアプリがCrossOverの検索で見つからない場合、対応アプリリストに登録されていない可能性がある。そのときは、アプリの公式サイトからWindows用のインストーラーをダウンロードしておこう。

2 「未登録のアプリケーションをインストールする」をクリック

CrossOverを起動したら、画面左下にある「インストール」をクリック。画面右上の「未登録のアプリケーションをインストールする」をクリックしよう。

3 インストールの設定を行う

上の画面が表示されたら、2つある「編集」ボタンでインストーラーの選択とボトルの設定を行っておこう。インストーラーの選択では、先ほどダウンロードしたWindowsアプリのインストーラー（exe形式など）を選択する。ボトルの設定では、ボトル一覧で表示するボトル名とボトルのタイプ（Windowsの種類）を設定すればいい。64ビット用のアプリであれば、ボトルのタイプも64ビットにしておくこと。

4 アプリをインストールする

設定が終わったら「インストール」をクリック。インストーラーが起動するので、インストール手順を進めよう。無事にインストールが終われば、CrossOverからアプリを起動できる。

CrossOverでインストールしたWindowsアプリを管理する

1 インストールしたアプリを起動する

インストールしたアプリは、CrossOverのボトル一覧に表示される。アプリを起動するには、ここからアプリ名を選んでアプリアイコンをダブルクリックすればいい。

2 起動中のアプリを終了する

起動したアプリを終了する場合は、アプリケーションメニューからアプリ名をクリックして「～を終了」を選べばいい。またはウインドウ自体を閉じても終了する。

3 アプリ（ボトル）をアンインストールする

CrossOverでインストールしたアプリをアンインストールしたい場合は、画面左側のボトル一覧からアプリを選び、「ボトルを削除」を実行しよう。

033

iPhoneやiPadとの組み合わせでより便利に
iPhone&iPadとの先進的な連携機能を利用する

1 — MacとiPhoneやiPadで作業を引き継ぐ

Handoffを有効にして連携させよう

「Handoff」機能を使えば、iPhoneやiPadで作成中のメールや書類など、対応アプリの作業をMacに引き継いで再開できる。逆にMacでやりかけの作業を、iPhoneやiPadに引き継ぐことも可能だ。例えば、移動中にiPhoneで書いていたメールは、帰宅してからMacのDockにあるHandoffマーク付きのメールアプリを起動するだけで、すぐに作成中のメール画面が開いて続きを作成できる。なおHandoffを利用するには、下の囲み記事にまとめた条件を満たす必要がある。Handoffが使える状態になっていれば、ここで紹介するiPhone&iPad連携技の多くも利用可能になる。

 POINT

iPhoneやiPadと連携する基本設定

● 各デバイスで同じApple IDを使ってサインインする
● 各デバイスでBluetoothとWi-Fi（アクセスポイントに接続していなくてもよい）をオンにする
● Macでは、Appleメニューから「システム設定」→「一般」→「AirDropとHandoff」を開き、「このMacとiCloudデバイス間でのHandoffを許可」をオンにする
● iPhoneやiPadでは、「設定」→「一般」→「AirDropとHandoff」を開き、「Handoff」をオンにする

iPhoneやiPadの作業をMacへ引き継ぐ

「POINT」記事にまとめた通り、Handoffを有効にする設定を済ませた上で、iPhoneやiPadでメールアプリを起動してメールの作成を開始しよう。

Macの画面では、Dockの最近使用したアプリ欄に、Handoffのマークが付いたメールアプリが表示されているはずだ。これをクリックすると、iPhoneで作成途中のメール画面が開いて作業を引き継げる。

Macの作業をiPhoneやiPadへ引き継ぐ

iPhoneへ引き継ぐ

Macの作業をiPhoneで引き継ぐには、iPhone側でアプリスイッチャー画面を表示し、下の方にあるMacで作業中のアプリ名のバナーをタップすればよい。

iPadへ引き継ぐ

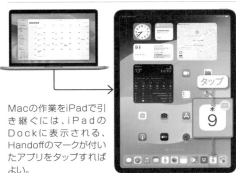

Macの作業をiPadで引き継ぐには、iPadのDockに表示される、Handoffのマークが付いたアプリをタップすればよい。

2 — MacとiPhoneやiPadをまたいでコピペする

ユニバーサルクリップボードを利用しよう

Appleデバイス同士では、「ユニバーサルクリップボード」機能でクリップボードを共有できる事を知っておくと、さまざまな作業が劇的にはかどるはずだ。例えばMacで長文を仕上げてコピーすれば、iPhone側でメールやLINEなどに貼り付けてすぐに送信できる。テキストだけでなく画像やビデオも、ファイルを選択して「command」＋「C」でコピーすれば他のデバイスにペースト可能だ。

1 Macで作成したテキストをコピー

iPhoneで送りたいメールが長文ならMacで入力した方が早い。作成したテキストを選択し、右クリックしてコピーしよう。

2 iPhoneのメール画面でペースト

iPhoneでメールの作成画面にペーストすると、Macで書いたテキストを貼り付けできる

3 iPadの手書きでPDFに指示を加える

連係マークアップで注釈を反映させる

MacでPDFを選択してスペースキーを押すと、クイックルックでPDFの内容が表示される。この画面で上部のマークアップボタンをクリックすると、「連係マークアップ」機能によりすぐにiPadの画面にもPDFの内容が表示され、Apple Pencilで細かい注釈を書き込める。iPadに表示されない時は、マークアップ画面のツールバーにあるマークアップボタンをもう一度クリックし、iPad名を選択しよう。

1 クイックルックでPDFを表示する

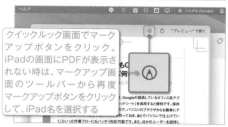

クイックルック画面でマークアップボタンをクリック。iPadの画面にPDFが表示されない時は、マークアップ画面のツールバーから再度マークアップボタンをクリックして、iPad名を選択する

MacでPDFを選択してスペースキーを押し、クイックルックで表示。続けてマークアップボタン（ペンマークのボタン）をクリックする。

2 iPadでPDFに指示を書き込む

Macで表示中のPDFファイルがiPadに表示され、ApplePencilや指で注釈を書き込める。書き込んだ内容はリアルタイムでMac側に反映される

4 iPhoneやiPadでPDFに手書きで署名する

プレビューアプリで手書き署名を挿入

PDFで送られてきた書類に手書きで署名する必要がある場合は、MacのプレビューアプリでPDFを開こう。「マークアップ」ボタンをクリックし、続けて「署名」ボタンをクリック。「iPhoneまたはiPad」画面の「デバイスを選択」からiPhoneやiPadを選択すると、iPhoneやiPadの画面で署名を手書き入力できる。あとは作成した手書き署名を選択し、PDFの署名欄にサイズを調整しながら配置すればよい。

トラックパッドやカメラでも署名できる

iPhoneやiPadを使わなくても、署名をトラックパッドで書いたり、白い紙にペンで書いたものをカメラに写してスキャンすることも可能だ。

トラックパッドやカメラを選択して署名を作成

1 プレビューアプリで署名ボタンをクリック

プレビューアプリでPDFを開いたら、上部のマークアップボタン→署名ボタンをクリックし、「iPhoneまたはiPad」画面に切り替える。

2 iPhoneやiPadで署名を手書きする

「デバイスを選択」をクリックしてiPhoneやiPad名を選択すると、そのデバイスで署名の作成画面が開くので、手書きで署名を入力しよう。

3 PDFの署名欄に手書き署名を挿入

プレビューアプリの「署名」ボタンで作成した手書き署名を選択すると、PDFに署名が挿入される。あとはサイズを調整して署名欄に配置すればよい。

5 手書きメモをMacに取り込む

連係スケッチでイラストを挿入

作成中のメモやメールにiPhoneやiPadで描いた手書きのイラストを追加したい、という時に便利なのが「連係スケッチ」機能だ。たとえばメモアプリでは、メモを開いてメモ内を右クリックし、「iPhoneまたはiPadから挿入」から連携するiPhoneやiPadを選んで、「スケッチを追加」をクリックすればよい。iPhoneやiPadでスケッチ作成画面が開き、描いたイラストをメモ内に挿入できる。

1 メモアプリでスケッチを追加をクリック

クリック。ツールバーのメディアボタンから「スケッチを追加」を選択してもよい

メモやメールアプリの右クリックメニューから「iPhoneまたはiPadから挿入」→「スケッチを追加」を選択しよう。

2 iPhoneやiPadでイラストや図を描く

iPhoneやiPadでスケッチウインドウが開くので、指やApple Pencilでスケッチを描いたら「完了」をタップ。Macのメモ内にスケッチが挿入される

6 iPhoneやiPadの画面をMac上で録画する

QuickTime Playerで画面や音声を保存できる

iPhoneやiPadの画面や音声を録画したい時は、MacのQuickTime Playerを利用すればよい。あらかじめMacとiPhoneやiPadをケーブルで接続しておき、QuickTime Playerを起動したら、「ファイル」→「新規ムービー収録」をクリック。収録ボタン横の「∨」をクリックしてiPhone名を選択すると、iPhoneの画面が表示される。あとは収録ボタンをクリックして録画しよう。

1 新規ムービー収録をクリック

Launchpadの「その他」からQuickTime Playerを起動し、「ファイル」→「新規ムービー収録」をクリックする。

2 iPhoneの画面を表示させて収録する

「スピーカー」欄でiPhone名が選択されていればiPhone上の音声が収録される。「マイク」欄でMac名を選択するとMacのマイクで自分の声などを収録できる

「画面」欄でiPhone名を選択

収録ボタン横の「∨」をクリックして「画面」欄のiPhone名を選択するとiPhoneの画面が表示される。あとは収録ボタンをクリックすると録画できる。

7 iPhoneのモバイル通信経由でMacをネット接続

Wi-FiがなくてもiPhoneの回線でネット接続できる

外出先でMacをネット接続したい際にWi-Fiが使えないなら、iPhoneのInstant Hotspot機能を使ってインターネット共有(テザリング)しよう。iPhoneの回線契約でテザリングオプションに加入しており、iPhoneとMacで同じApple IDでサインインし、両方のデバイスでBluetoothとWi-Fiがオンになっていれば、iPhoneのモバイル回線を使ってMacをネット接続できる。パスワード入力も不要だ。

インターネット共有利用中は、Dynamic Islandにアイコンが表示されたり、時刻表示部分もしくはステータスバーが緑になる。データ通信の消費量を確認しつつ利用しよう。なお、Mac側の接続操作で、iPhoneのインターネット共有は自動でオンになる

両デバイスを利用条件通りに設定し、iPhoneをMacの近くに置く。インターネット共有のバナーが表示された場合は、「接続」をクリックすればOK。そうでない場合は、メニューバーのWi-Fiアイコンをクリックし、表示されているiPhoneの名前を選択すればよい。Wi-Fiアイコンをクリックし、再度iPhoneの名前をクリックすれば接続が解除される

8 Androidスマホの通信経由でMacをネット接続

Wi-FiがなくてもAndroidの回線でネット接続できる

iPhoneやiPadとの連携ではないが、Androidスマートフォンでも回線契約でテザリングオプションに加入していれば、Androidの通信経由でMacをネット接続できる。iPhoneの

ようにワンクリック接続とはいかないが、Android側でWi-Fiテザリングをオンにしてパスワードを設定。そのパスワードをMac側で入力するだけなので接続は非常に簡単だ。なお、Apple IDが異なるiPhoneの場合も、同様にインターネット共有で設定したパスワードを入力すればテザリング接続できる。

Apple IDが違うiPhoneで接続

Macとは別のApple IDを使っているiPhoneにも、「設定」→「インターネット共有」で「ほかの人の接続を許可」をオンにし、"Wi-Fi"のパスワード」を確認すれば同様の手順で接続できる。

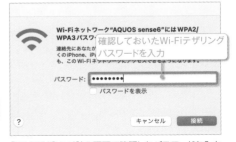

1 Androidスマホでテザリングをオン

Androidスマートフォンで「設定」のネットワーク関連項目にある「テザリング」→「Wi-Fiテザリング」を選択。「Wi-Fiテザリングの使用」をオンにしパスワードを確認しておく。

2 Wi-FiネットワークからAndroidスマホ名を探す

MacでメニューバーのWi-Fiアイコンをクリックし、表示されているAndroidスマートフォンの名前を探してクリックする。

3 パスワードを入力して接続をクリック

確認しておいたWi-Fiテザリングのパスワードを入力

「Wi-Fiテザリング」の画面で確認したパスワードを入力し「接続」をクリックすれば、Androidスマートフォンのモバイル回線経由でMacをネット接続できる。

9 iPhoneをMacの入力デバイスとして利用する

iPhoneがMacの外付けテンキーになる

テンキーのないMacBookだと金額や電話番号を大量に入力する際に不便だが、外付けテンキーなど余計なガジェットは増やしたくない……という時に便利なのが、iPhoneやiPadをMacのテンキー代わりにする「Remote KeyPad and NumPad」だ。Mac側に専用のヘルパーアプリ（https://cherpake.com/getから入手）をインストールして各種権限を許可し、iPhoneやiPad側にはRemote KeyPad and NumPadアプリをインストール。それぞれ同じネットワークに接続していれば、iPhoneやiPadのアプリからMacの画面に数字などを素早く入力できる。自分で必要なキーのみを配置したカスタムテンキーの作成も可能だ。なお、本アプリは無料で利用できるが、iPhoneやiPadでテンキーを数回操作するたびにプレミアム機能の広告が表示されるため、プレミアム機能（600円）を購入したほうが快適に操作できる。

Remote KeyPad and NumPad
作者／Evgeny Cherpak
価格／無料
入手先／https://www.cherpake.com/
apps/remote-keypad-numpad/

1 Mac側のアプリで各種設定を行う

すべてのチェックボックスにチェックする。権限によっては、チェックした際にシステム設定の画面が表示されるので、「Remote for Mac」の項目をオンにしよう

Macにヘルパーアプリをインストールすると、権限の許可を求められる。すべてのチェックボックスをオンにし、画面の指示に従って許可していこう。

2 iPhone側のアプリで検索を開始する

Mac側の準備が完了していればそれぞれチェックする

タップ

iPhoneやiPadにRemote KeyPad and NumPadアプリをインストールし、各項目にチェックしたら「検索を開始します」をタップする。

3 Mac側のアプリでアクセスを許可する

クリック

Mac側のヘルパーアプリでiPhoneが検出され、アクセス権限を付与するか確認が求められるので「許可」をクリックしよう。

右上のメニューボタンから「作成」をタップすると、自分で使いやすいキーを自由に配置したカスタムテンキーを作成できる

iPhoneやiPadをMacのテンキーとして利用できるようになった。数字や各種キーをタップすると、Mac側の画面に入力が反映される。

10 iPhone経由で電話を発着信する

iPhoneの回線を通して電話の発着信が可能

Macでの作業中にiPhoneに電話がかかってきても、iPhoneをカバンから取り出して手に取る必要はない。Mac側で「iPhoneからの通話」をオンにし、iPhoneで「ほかのデバイスでの通話」をオンにしてMac名のスイッチをオンにしておくことで、iPhoneに電話着信があるとMacの画面にも着信通知が表示され、そのまま応答して通話ができるのだ。また、MacからiPhoneを経由して電話を発信することもできる。これはiPhoneの回線を通しての通話なので、FaceTime通話と違って、相手がAndroidスマートフォンや固定電話でも問題なく発着信が可能だ。通話中にキーパッドを操作したり、ミュートにすることもできる。ただしこの機能を使っていると、iPhoneに電話がかかってくる度に、Macでも毎回着信音が鳴ってしまう。機能が不要であれば、MacとiPhoneのどちらかの設定をオフにしておこう。片方の機能がオフになっていれば、MacでiPhoneの電話が着信しなくなる。

1 Mac側で必要な設定

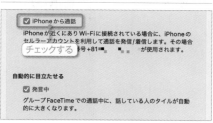

チェックする

Macでは「FaceTime」アプリを起動。メニューバーの「FaceTime」→「設定」→「一般」タブを開いたら、「iPhoneから通話」にチェックしておく。

2 iPhone側で必要な設定

オンにする

iPhoneでは「設定」→「電話」→「ほかのデバイスでの通話」→「ほかのデバイスでの通話を許可」をオンにし、iPhoneを経由して電話を発着信したいMac名のスイッチをオンにしておく。

3 Macで電話に応答する

iPhoneに電話がかかってくると、Macの画面の右上にも着信通知が表示される。「応答」をクリックすれば、電話に出て通話できる。電話を切るには「終了」をクリック

4 Macから電話を発信する

「iPhoneで通話：」の電話番号を選択。発信すると、当然iPhoneも通話中の状態になる

MacからはFaceTimeアプリで発信する。「新規FaceTime」で電話番号を入力し、Returnキーを押してから、下矢印をクリックして電話をかける電話番号を選択しよう。

11 iPhoneのSMSをMacで送受信する

Androidスマートフォン ともSMSでやり取りできる

　Macのメッセージは、基本的にiMessageを利用するためのアプリで、やり取りできる相手はiMessageを有効にしたiPhoneやiPad、Macに限られる。ただしiPhoneを持っており連携機能を有効にしていれば、iPhoneを経由して、AndroidスマートフォンにSMSやMMSでメッセージを送ることもできる。iPhoneの「設定」→「メッセージ」で「SMS/MMS転送」をタップし、Macのスイッチをオンにしておこう。Macでメッセージを起動して認証コードが表示される場合は、iPhone側でコードを入力して認証を済ませれば、MacでもiPhoneを通してSMSやMMSの送受信が可能になる。なお、メッセージのやり取りをMacとiPhoneで同期させるには、iPhoneのiCloud設定で「メッセージ」をオンにし、Macのメッセージの設定で「"iCloudにメッセージを保管"を有効にする」にチェックしておく必要がある。

1 iPhoneでSMSやMMSの転送を許可

オンにする。Macの画面にコードが表示された場合はコードを入力して認証する

iPhoneの「設定」→「メッセージ」で「SMS/MMS転送」をタップ。リストからMacのスイッチをオンにすれば、MacでSMSを送受信可能になる。

2 Macでメッセージを同期

チェックする。またiPhone側でもiCloud設定でメッセージを同期させておく

Macでは、メッセージの「設定」→「iMessage」タブで「"iCloudにメッセージを保管"を有効にする」にチェックしておくと、メッセージが同期される。

3 Androidスマホにメッセージを送信

Macのメッセージアプリで、Androidスマートフォンの電話番号を宛先にメッセージを送信してみよう。iPhoneを経由してSMSまたはMMSで送信したメッセージは、自分の吹き出しが緑色で表示される

4 Androidスマホからのメッセージを受信

SMSで届いた返信メッセージも表示された

AndroidスマートフォンからSMSで届くメッセージも、このようにMacのメッセージアプリで受信して表示される。

---

12 iPhoneやiPadの動画や音楽をMacで再生

AirPlay機能で手軽に出力できる

　iPhoneのビデオや写真をMacの画面に映してみんなで楽しんだり、iPadで再生中の曲をMacのスピーカーで聴きたい時は、AirPlay機能で簡単に出力が可能だ。あらかじめAppleメニューの「システム設定」→「一般」→「AirDropとHandoff」で「AirPlayレシーバー」をオンにし、「AirPlayを許可」欄でAirPlayを許可するユーザを「現在のユーザ」（同じApple IDでサインインしているデバイスのみ）や「同じネットワーク上のすべての人」、「すべての人」から選択しておく。あとはiPhoneやiPadのアプリで「AirPlay」ボタンをタップしてMacに出力すればよい。

AirPlayレシーバーの設定

「システム設定」→「一般」→「AirDropとHandoff」で「AirPlayレシーバー」をオンにし、「AirPlayを許可」でAirPlayを許可するユーザの範囲を選択しておこう。

オンにする

AirPlayを許可する相手を設定

写真アプリでAirPlay出力する

タップ

写真アプリでは、Macで表示したい写真やビデオを開き、共有ボタンから「AirPlay」をタップ。リストからMacの名前を選択するとMacの画面に出力できる。

ミュージックアプリでAirPlay出力する

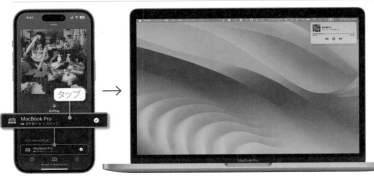

タップ

ミュージックアプリでは、再生画面などにある「AirPlay」ボタンをタップしてMacの名前を選択すればよい。再生中の曲がMacのスピーカーで出力される。

13 iPhoneをWebカメラにする連携カメラ機能

利用条件を満たしていればすぐ使える

Macの内蔵カメラはあまり画質が良くないので、オンライン会議などの利用に不満を覚える人も少なくないだろう。しかしiPhone XR以降のiPhoneがあれば、「連係カメラ」機能で高画質なiPhoneのカメラをMacのWebカメラとして利用できる。右で記載している利用条件を満たせば使えるが、センターフレームとデスクビュー機能はiPhone 11以降が、スタジオ照明の適用はiPhone 12以降が必要となる点に注意しよう。リアクション機能を使う場合はmacOS Sonoma以降のMacとiOS 17以降を搭載したiPhone 12以降が必要だ。

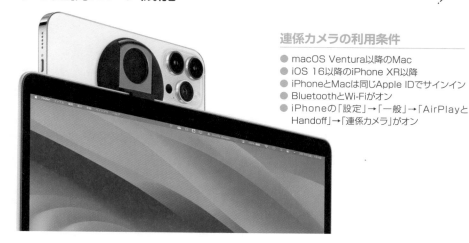

連係カメラの利用条件

- macOS Ventura以降のMac
- iOS 16以降のiPhone XR以降
- iPhoneとMacは同じApple IDでサインイン
- BluetoothとWi-Fiがオン
- iPhoneの「設定」→「一般」→「AirPlayとHandoff」→「連係カメラ」がオン

1 Webカメラを使うアプリを起動する

自動でiPhoneのカメラに切り替わらない場合は、メニューバーの「ビデオ」から「iPhoneのカメラ」と「iPhoneのマイク」に変更する

iPhoneをMacのディスプレイに取り付け、FaceTimeなどカメラを使うアプリを起動するだけで、自動的にiPhoneのカメラがWebカメラとして認識される。

2 各種機能を利用する

顔が動いてもカメラの中央に収めてくれる「センターフレーム」などをクリックすると、それぞれの機能がオンになる

メニューバーのビデオボタンをクリックすると、センターフレームやスタジオ照明、デスクビューなどiPhoneならではの機能を利用できる。

3 リアクアションを利用する

画面にハートを飛ばしたり花火を打ち上げるなどのリアクションを表示できる。Appleシリコン搭載のMacなら連携カメラを使わなくても標準で利用できる

Appleシリコンを搭載していないMacでも、ジェスチャーやビデオボタンの「リアクション」メニューから画面内にリアクションを表示できる。

POINT

iPhoneを取り付けるおすすめマウンタ

連係カメラを快適に使うには、MacのディスプレイにiPhoneを取り付けるマウンタも必要だ。MacBookユーザーなら、連係カメラ対応アクセサリとしてApple Storeでも取り扱いのあるBelkinの製品がおすすめ（上記の写真の使用例もこの製品だ）。iPhoneには磁石で吸着するので、iPhoneケースがMagSafeに対応していなければケースを外して使う必要がある。

Belkin iPhone Mount with MagSafe for Mac Notebooks
メーカー／Belkin
価格／4,400円（税込）

---

14 MacのSiriにiPhoneを探してもらう

「iPhoneを探して」でサウンドを鳴らしてくれる

自宅にいるのにうっかりiPhoneをどこかに置き忘れてしまって見当たらない、といった場合はMacのSiriに頼んで探してもらおう。Siriを起動して「iPhoneを探して」と伝えると、iPhoneで徐々に大きくなるサウンドを再生して場所を知らせてくれる。かなり大きな音量で再生されるので、iPhoneが見つかったらすぐに音量ボタンか電源ボタンを押してサウンドを停止させよう。

1 「iPhoneを探して」とSiriに伝える

iPhoneが見当たらない時は、Siriに「iPhoneを探して」と頼んでみよう。Siriが近くにあるiPhoneを見つけ出してサウンドを再生する。

2 iPhoneが見つかったら音量ボタンなどで消音

iPhoneからサウンドが大音量で鳴り響く。iPhoneが見つかったら音量ボタンか電源ボタンを押すことでサウンドを停止できる

034

iCloud

「"デスクトップ"フォルダと"書類"フォルダ」をオン

デスクトップのファイルを
iPhoneやiPadからも利用する

デスクトップと書類を iCloudで同期させよう

　Macのファイルを主にデスクトップで管理しているなら、iCloud Driveの設定で「"デスクトップ"フォルダと"書類"フォルダ」を有効にしてみよう。iCloud Driveに「デスクトップ」と「書類」フォルダが作成され、Macのローカルフォルダに置き換わってiCloudのフォルダが「デスクトップ」と「書類」の本体になる。Mac上でデスクトップや書類フォルダにファイルを作成すれば、特に意識しなくても自動的にiCloud Driveに保存されるのだ。デスクトップのファイルが常にiCloudと同期するので、iPhoneやiPadのファイルアプリでMacのデスクトップにあるファイルを開いて編集したり、WindowsパソコンでもWebブラウザでiCloud.comにアクセスしてMacのファイルを扱うことができる。Windowsの場合は「Windows用iCloud」をインストールしておけば、エクスプローラから手軽にiCloudのデスクトップや書類フォルダを開くことも可能だ。ただし、デスクトップと書類フォルダのファイルを丸ごとiCloudに保存するので、iCloudのストレージ容量を圧迫しがちだ。iCloudの空き容量が足りない時は、容量を追加購入するか機能をオフにしておこう。

デスクトップや書類をiCloudで同期する

1 iCloudの同期機能を 有効にする

「システム設定」で一番上のApple IDをクリックし、「iCloud」→「iCloud Drive」をクリック。「"デスクトップ"フォルダと"書類"フォルダ」をオンにする。

2 デスクトップにあった ファイルが移動する

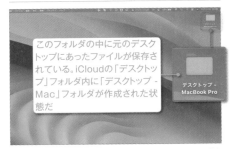

デスクトップ上に元々あったファイルは、デスクトップ上に新しく「デスクトップ - Mac」といった名前のフォルダが作成され、その中にまとめて保存される。

3 通常通りデスクトップに ファイルを置く

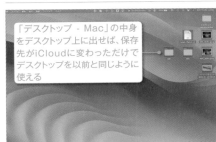

「デスクトップ - Mac」の中身を外に出したら、あとは作業中のフォルダを置いたり、添付ファイルを保存したり、デスクトップを同期前と同じように利用できる。

4 デスクトップのファイルが iCloudに保存される

今後はデスクトップ上や「書類」にファイルを置いた場合、そのファイルの保存先はiCloud Driveになる。ファイルを削除するとiCloud上からも消える。

5 iPhoneやiPadでデスク トップのファイルを開く

iPhoneやiPadからは、「ファイル」アプリでiCloud Driveにアクセスできる。「デスクトップ」や「書類」フォルダを開くと、Macで保存したファイルを確認できる。

6 iCloud.comからも アクセスできる

会社のWindowsパソコンなどから操作したい時は、WebブラウザでiCloud.comにアクセスし、アプリ一覧から「Drive」をクリックして開けばよい。

7 iCloudストレージの 容量を増やすには

iCloudの容量が足りなくなったら、「システム設定」でApple IDを開いて「iCloud」→「管理」をクリック。「さらにストレージを購入」をクリックすれば容量を買い足せる。

Windowsのエクスプローラーで iCloudにアクセスする

1 Windows用iCloudを インストール

Windows用iCloud
作者／Apple
価格／無料
入手先／https://support.apple.com/
ja-jp/103232

インストールしたらApple ID でサインインを済ませよう

Windowsから、iCloud.com経由ではなくエクスプローラーで手軽にMacのデスクトップにアクセスしたい場合は、まず「Windows用iCloud」をインストールする。

2 iCloud設定を開いて iCloud Driveにチェック

オンにする

クリックしてiCloudと同期する フォルダの場所を変更する

タスクバーに常駐するiCloudアイコンなどから設定画面を開き、「iCloud Drive」の「>」をクリックしてスイッチをオンにしておく。iCloudと同期するフォルダの場所も変更可能だ。

3 エクスプローラーから iCloudにアクセスする

デスクトップは「Desktop」フォルダを、書類は「Documents」フォルダを開くと、Macに保存されているファイルにアクセスできる

エクスプローラーに「iCloud Drive」が追加されているのでクリックしよう。iCloud Driveのファイルが同期されており、Macのデスクトップや書類のファイルにもアクセスできる。

デスクトップと書類の同期を無効にする場合の注意点

1 iCloudの同期機能を 無効にする

「システム設定」で一番上のApple IDをクリックし、「iCloud」→「iCloud Drive」で「"デスクトップ"フォルダと"書類"フォルダ」をオフにする

iCloudの空き容量が足りない場合などにデスクトップと書類のiCloud同期を停止したくなったら、「"デスクトップ"フォルダと"書類"フォルダ」のスイッチをオフにすればよい。

2 デスクトップや書類 フォルダが新規作成される

デスクトップが新規作成されるため保存していたファイルが消えたように見える

機能をオフにすると、「デスクトップ」と「書類」フォルダが新しく作成されるため保存していたファイルが消えたように見えるが、心配はいらない。ファイルはすべてiCloud Driveに残っている。

3 iCloud Driveから ファイルを戻す

iCloud Driveのデスクトップフォルダの中身をデスクトップにドラッグ&ドロップしてコピーする。iCloud Driveのファイルは不要なら削除してかまわない

iCloud Driveに残っている「デスクトップ」と「書類」フォルダを開き、中のファイルをデスクトップや書類フォルダにコピーすれば、元の環境に戻る。

エイリアス機能で特定のフォルダだけiCloudと同期する

1 iCloud Driveのフォルダで エイリアスを作成

iCloud Driveに同期用のフォルダを作成し、右クリックメニューから「エイリアスを作成」をクリック

エイリアスを作成

デスクトップを丸ごと同期するのではなく、デスクトップ上の特定のフォルダだけiCloudと同期させるには、まずiCloud Drive内に作成した同期用のフォルダのエイリアス（No013の記事11で解説）を作成しよう。

2 作成したエイリアスを デスクトップに移動

iCloudフォルダのエイリアスをデスクトップに移動

同期用のエイリアス

作成したiCloud Driveの同期用フォルダのエイリアスを、ドラッグ&ドロップでデスクトップに移動する。あとは、iCloudで同期したいファイルだけこのエイリアスフォルダに保存すればよい。

3 他のデバイスから ファイルにアクセスできる

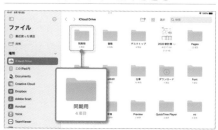

同期用
4項目

デスクトップ上のエイリアスフォルダに保存したファイルの本体はiCloud Driveにあるため、iPhoneやiPadからアクセスしたり、iCloud.comで開くことができる。

⊂◎POINT

デスクトップや 書類をGoogle ドライブで同期

Macに「パソコン版Googleドライブ」をインストールすれば、Macのデスクトップや書類、ダウンロードフォルダなどをGoogleドライブと同期させることが可能だ。iCloudによる同期と比べると、Googleドライブに保存されたファイルはAndroidスマートフォンなどからも手軽にアクセスできるほか、Windowsのデスクトップも同期できる点がメリットだ。

パソコン版Googleドライブ
作者／Google
価格／無料
入手先／https://www.google.com/
intl/ja/drive/download/

通信プラン契約が無料のpovo2.0を利用しよう
いざというときに備えて eSIMにサブ回線を契約しておく

povo2.0で必要な時だけ使い放題をトッピング

　MacBookを持ち歩くことが多いなら、iPhoneのeSIM（物理的なSIMカードなしで通信契約できる機能。iPhone XS以降に搭載されている）にサブ回線として、KDDIのオンライン専用プラン「povo2.0」を契約しておくのがおすすめだ。povo2.0は基本料金0円で契約でき、「トッピング」と呼ばれるオプションでデータ容量や通話かけ放題を必要な時に必要な分だけ追加するシステムになっている。しかもテザリングの利用料も無料だ。特にモバイルワークの強い味方となるのが「データ使い放題（24時間）」トッピングで、1回330円で24時間（原稿執筆時点では契約した翌日の23時59分59秒まで通信できるため最大48時間）データ通信が使い放題になる。出張や旅行の際は、このデータ使い放題トッピングを追加し、iPhoneのモバイルデータ通信回線をpovo2.0に切り替えよう。MacBookとiPhoneをインターネット共有（No033の記事7で解説）しておけば、あとは通信量を気にする必要もなく、MacBookでクラウド上のファイルをダウンロードしたり動画や音楽をストリーミング再生で楽しめる。なおPOINTの囲み記事で解説している通り、povo2.0の回線を維持するには、180日に一度は有料トッピングなどを購入する必要がある。原稿執筆時点での最安トッピングは「データ使い放題（24時間）」の330円なので、最低でも半年に一度330円を支払えば回線は停止されない。

povo2.0を契約してトッピングを購入する

1 povo2.0をeSIMで契約する

iPhoneでpovo2.0アプリをインストールして起動したら、契約するプランをデータ専用か通話+データから選択する。続けてSIMタイプは「eSIM」を選択し、契約を進めよう。

2 24時間使い放題のトッピングを購入

出張や旅行先などでMacBookをネット接続する際は、povo2.0アプリで「データ使い放題（24時間）」トッピングを購入しておくのがおすすめだ。

3 最大48時間まで使い放題になる

「データ使い放題（24時間）」は、原稿執筆時点では契約した翌日の23時59分59秒まで通信できるため、最大で48時間まで通信量を気にせずネットが使い放題になる。

◯ POINT

povo2.0の回線を維持する条件

povo2.0は基本料金0円で回線を契約でき、データ通信の容量を購入しなくても128kbpsで低速通信できるが、完全に無料のまま回線を維持できるわけではない。180日間以上課金がないと、利用停止になる場合があるので注意しよう。具体的には、180日に一度は有料トッピング（最安のトッピングは「データ使い放題（24時間）」の330円）を購入するか、180日間で通話やSMSの合計金額が660円を超えていればよい。

iPhoneのpovo2.0の回線経由でMacをネット接続する

1 iPhoneのモバイル通信設定を開く

povo2.0の回線を使ってMacをネット接続するには、まずiPhoneの「設定」→「モバイル通信」→「モバイルデータ通信」をタップする。

2 モバイルデータ通信をpovo2.0の回線に変更

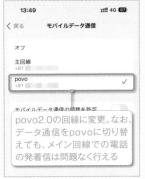

メイン回線ではなくpovo2.0の回線にチェックしよう。これで、iPhoneのデータ通信はpovo2.0で購入したデータ使い放題（24時間）の回線を利用するようになる。

povo2.0の回線に変更。なお、データ通信をpovoに切り替えても、メイン回線での電話の発着信は問題なく行える

3 iPhoneの回線を使ってMacをネット接続する

インターネット共有のバナーが表示された場合は「接続」をクリック。そうでない場合は、メニューバーのWi-Fiアイコンをクリックし、表示されているiPhoneの名前を選択する

あとはNo033の記事7の通り、MacのWi-FiネットワークからiPhoneの名前を選択するだけで、iPhoneの回線経由でMacをネット接続できる。

4

BESTアプリ
コレクション

Macのアプリはなかなか良いものを見つけにくい…といったユーザーも多いはず。
ここでは操作性を向上させるユーティリティや仕事を効率化する実力派アプリ、
気が利いた機能を備えた便利ツールなど人気のベストアプリを厳選紹介。

知らないと損する最先端の時短操作系ツールをピックアップ！
Macの操作性を劇的に向上させる おすすめユーティリティ

1 いつもの操作を劇的に高速化できる高機能ランチャー

ショートカットキーで あらゆる操作を効率化

「Raycast」は、ショートカットキーやコマンド入力でさまざまな操作を実行できるランチャーアプリだ。インストール後、アプリはメニューバーに常駐し、「option」＋スペースキーでいつでもランチャー画面を呼び出せる。最も基本の使い方としては、アプリ名を入力して検索し、即座に起動するといったもの。さらに、あらかじめ用意されたコマンドを入力することで、ファイル検索やカレンダーの確認、クリップボード履歴、定型文（スニペット）の呼び出しなど、多種多様な機能が使える。Macの操作を効率化したいなら使ってみよう。

Raycast
作者／Raycast Technologies, Ltd.,
価格／無料
入手先／https://www.raycast.com/

Raycastの基本的な使い方を覚えておこう

Raycastが起動

short cut ⌥ option + space

1 「option」＋ スペースキーで Raycastを起動

Raycastはメニューバーに常駐するタイプのアプリだ。Raycastをインストールして起動したら「option」＋スペースキー（初期設定時）を押そう。画面の中央にRaycastの画面がいつでも表示される。

2 キーワードを入力して アプリを素早く起動する

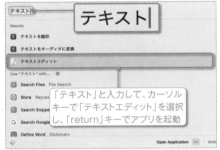

「テキスト」と入力して、カーソルキーで「テキストエディット」を選択し、「return」キーでアプリを起動

Raycastは、文字入力やショートカットキーで操作するのが基本。たとえば「テキスト」と入力して「テキストエディット」アプリを検索し、「return」キーで起動可能だ。

3 コマンドを使って ファイルを検索

「Search Files」コマンドでファイル検索が可能。事前に各フォルダへのアクセスを許可しておくこと

Raycastは、コマンド入力でさまざまな機能が使える。たとえば、「s」と入力して表示された候補から「Search Files」コマンドを実行すれば、ファイル検索が可能だ。

AI機能などを追加した Pro版は月額課金で使える

Raycastは、月額8ドルでPro版にアップグレード可能だ。Pro版はChatGPTを使ったAI機能が追加され、素早く質問に回答してくれるようになる。また、クラウド機能による複数デバイスの同期、テーマの変更などにも対応している。

Pro版を登録するには、メニューバーアイコンから「Settings」を選択して、「Account」タブからアカウントを作成し、「Upgrade to Pro」をクリックしよう

⌇ POINT

Raycastで呼び出せる アプリやコマンドを把握する

Raycastで呼び出せるアプリやコマンドなどの個々の機能は、それぞれ「拡張機能（エクステンション）」としてすでに登録されているものだ。拡張機能に何があるかは設定画面でまとめられている。右の手順で設定画面を表示して項目をチェックしておこう。

メニューバーアイコンから「Settings」をクリック

設定画面で画面上部の「Extensions」をクリック。現在導入されている拡張機能が一覧される。この画面を見れば、Raycastから呼び出せるほぼすべてのアプリやコマンドなどが一目瞭然だ

コマンドを使ってカレンダー機能を呼び出す

1 「My Schedule」コマンドを入力して実行する

カレンダーに登録したイベントを確認したい場合は「My Schedule」コマンドを使う。Raycastに「my」だけ入力し、候補からコマンドを選んで実行しよう。

2 直近の登録イベントが表示される

すると、カレンダーアプリに登録されている直近のイベントが一覧表示される。なお、初回起動時は「Grant Access」ボタンでアクセス許可をすること。

3 カレンダーアプリで予定を確認できる

Raycast上で表示されたイベントを選んで「return」キーを押せば、カレンダーアプリが起動。イベントの詳細を確認することが可能だ。

クリップボード履歴機能を使う

1 「Clipboard History」コマンドを入力して実行する

Raycastは、クリップボードの履歴を呼び出す機能も搭載されている。Raycastを起動して「Clipboard History」コマンドを実行してみよう。

2 クリップボードの履歴から貼り付けたいものを選ぶ

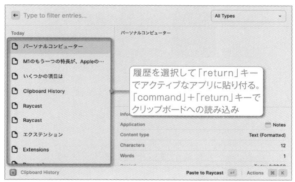

すると、クリップボードにコピーした過去の履歴が一覧表示される。カーソルキーで履歴を選んだら、「return」キーでアクティブなアプリに貼り付け、「command」+「return」キーでクリップボードへの読み込みが可能だ。この履歴には、テキストやファイル、画像なども残すことができる。なお、初回起動時は「Grant Access」ボタンでアクセスを許可しておこう。

定型文（スニペット）機能を使う

1 「Create Snippet」コマンドで定型文を新規登録する

メールや文章を書く場合に便利な定型文（スニペット）機能も搭載している。定型文を登録するには「Create Snippet」コマンドを実行してみよう。

2 定型文の名前と文章、キーワードを登録する

上の画面が表示されるので、定型文の名前と定型文の文章、キーワードを登録する。キーワードは定型文の呼び出し時に使うものだ。

3 「Search Snippet」コマンドで定型文を選んで貼り付ける

「Search Snippet」コマンドで登録済みの定型文が表示される。カーソルキーで選ぶか設定したキーワードを入力して選ぶかして、「return」キーで貼り付ける。

POINT

よく使うコマンドにショートカットキーを割り当てる

Raycastの各コマンドには、好きなショートカットキーを割り当て可能だ。Raycastを起動した状態でこのショートカットキーを押せば、即座にコマンドを実行できる。よく使うコマンドに割り当てて、さらに素早い操作を実現しよう。

設定画面の「Extensions」を表示。コマンドの「Record Hotkey」をクリックし、ショートカットキーを記録しよう

2 トラックパッドやマジックマウスなどのジェスチャー操作を自由にカスタマイズ

よく使う機能やショートカットを ジェスチャー操作で呼び出せる

「BetterTouchTool」は、トラックパッドやマジックマウスなどのジェスチャー操作を自由自在にカスタマイズできるアプリだ。たとえば、「トラックパッドの左上をタップするとLaunchpadが起動する」といった操作や「指定したアプリでマジックマウスを3本指でダブルタップすると、特定のショートカットキーを入力する」といった操作を簡単に設定可能。まずは、設定画面で「トリガー」となる入力機器と、「アクション」の対象となるアプリを選んでおこう。次にトリガーとアクションの具体的な内容を「＋」ボタンで追加していけばいい。なお、トリガーにはさまざまなジェスチャー操作が用意されているが、macOS標準のジェスチャー操作と被ってしまうとうまく動かないので注意。よく使う機能やショートカットをジェスチャー操作で呼び出せるようにしておけば、各種操作をさらに効率化できるはずだ。

BetterTouchTool
作者／folivora.AI GmbH
価格／10ドル（2年間）〜
※45日間の試用あり
入手先／https://folivora.ai/

1 BetterTouchToolの 設定画面を開く

アプリを起動したら、メニューバーアイコンから「構成」をクリック。BetterTouchTool設定画面が表示されるので、ここからジェスチャー操作を登録していこう。

2 ジェスチャー操作の対象アプリと 入力機器の設定

「トラックパッドの左上をタップするとLaunchpadが起動する」という内容を登録してみよう。まずはトリガーとなる入力機器とアクションの対象アプリを設定する。

3 トリガーに特定の ジェスチャー操作を割り当てる

画面中央の「＋」をクリックしたら、右端のドロップダウンメニューから好きなジェスチャー操作を設定しよう。ここでは「1本の指で左上をタップ」に設定してみた。

4 アクションに 「Launchpadを開く」を設定

さらに画面中央の「＋」をクリックしたら、実行するアクションを設定しよう。ここでは「Launchpadを開く」を割り当てた。これでジェスチャーの設定は完了だ。

3 ドラッグ＆ドロップ操作をより快適にする

ドラッグ＆ドロップした項目や データを一時的に保管する

「Yoink」は、フォルダやウインドウ、操作スペース間でのドラッグ＆ドロップ操作がスムーズに行えるようになるユーティリティアプリだ。Yoinkを起動した状態でファイルをドラッグすると、画面左端に小さなウインドウが表示される。ここにファイルをドロップすると一時的に保管することが可能だ。あとは移動先やコピー先のフォルダやウインドウを表示して、ファイルをドラッグ＆ドロップすればいい。ドラッグ＆ドロップ操作による移動やコピーがとてもやりやすくなるので、ぜひ導入しておこう。

Yoink
作者／Matthias Gansrigler
価格／1,200円
入手先／ App Store

操作スペース間での ドラッグ＆ドロップが楽になる

Yoinkを使えば、仮想デスクトップ（Mission Control）での操作スペース間で、項目を移動させたいときもスムーズに操作できる。フルスクリーン表示中のアプリでも利用可能だ。

ファイルやフォルダを
ドラッグ＆ドロップする

1 PDFを開いて 「注釈」ボタンをクリック

Yoinkをインストールして起動したら、ファイルやフォルダをドラッグしてみよう。画面左端にYoinkのウインドウが表示されるので、そこにドラッグ中の項目をドロップ。すると、その項目が一時的に保管される。なお、複数のファイルやフォルダをドラッグ＆ドロップすると、自動で1つの項目としてスタックしてくれる。まとめて複数の項目を移動したいときにも便利だ。

2 一時保管した項目を 移動もしくはコピーする

保管した項目をドラッグ＆ドロップして移動

次に移動先のフォルダを開き、Yoinkのウインドウから項目をドラッグ＆ドロップして移動しよう。「option」キーを押しながらドラッグすれば項目のコピーも可能だ。

3 ドラッグできるものなら 何でも一時保管＆移動できる

テキストや画像も
一時保管できる

Yoinkでは、ファイルやフォルダ以外にも、ブラウザで表示しているテキストや画像など、ドラッグ＆ドロップできる項目であれば一時保管が可能だ。

クリック数を激減できる 超地味ながら便利なアプリ

「AutoRaise」は、マウスカーソルを合わせたウインドウを最前面に表示してくれるアプリ。通常、ウインドウを最前面に表示したいときは、対象のウインドウにマウスカーソルを合わせてボタンをクリックするという操作が必要だ。しかし、AutoRaiseを導入すれば、マウスカーソルをウインドウに合わせるだけで最前面に表示してくれるため、クリック操作が不要になる。単純ながら操作効率アップの効果は意外と大きく、慣れてしまうと手放せなくなるアプリだ。

AutoRaise
作者／Stefan Post
価格／無料
入手先／https://github.com/sbmpost/AutoRaise

メニューバーからオン／オフする

AutoRaiseのメニューバーアイコンをクリックすると、機能をオン／オフできる。またアイコンを右クリックして「Preferences」を選べば、設定画面を表示可能だ。

1 GitHubのサイトに アクセスする

まずはAutoRaiseのディスクイメージをダウンロードしよう。アプリ入手先のURLにアクセスしたら、ページ下の文章内にある「disk image」をクリック。

2 ディスクイメージを ダウンロードする

「AutoRaise.dmg」を入手

すると、ディスクイメージ（AutoRaise.dmg）の配布ページが表示される。上の画像で示したダウンロードアイコンをクリックしてファイルを入手しよう。

3 アプリを手動で インストールする

アプリをアプリケーションフォルダにコピーする

「AutoRaise.dmg」を開いたら、マウントされたディスクを開く。中にアプリ本体（AutoRaise）が入っているので、これをアプリケーションフォルダにコピーしよう。

4 マウスカーソルを ウインドウに合わせてみよう

マウスカーソルを合わせるだけで最前面になる

AutoRaiseを実行してオン状態にすると、マウスカーソルをウインドウに合わせるだけで最前面に表示される。慣れると操作がかなりスピーディになるはずだ。

5 マウスホイールの スクロールを滑らかに

「Mos」は、マウスホイールでのスクロールを、Magic MouseやMagic Trackpadを使ったときのように滑らかにしてくれるアプリ。マウスホイールでの画面スクロールがガタガタになるのが嫌な人は使ってみよう。スクロール時の速度や加速度などは、アプリごとに細かくカスタマイズ可能。特定のキーを組み合わせて、スクロールの縦横方向を切り替えるといった設定もできる。

Mos
作者／Caldis_Chen
価格／無料
入手先／https://mos.caldis.me/

メニューバーアイコンから「Preferences」をクリックし、設定画面を表示しよう。「Exception」の左下にある「＋」ボタンからアプリごとに動作を設定できる。

6 メニューバーから 設定を切り替えられる

「OnlySwitch」は、さまざまな設定のオン／オフをメニューバーから即座に切り替えられるようになるユーティリティだ。起動するとメニューバーにアイコンが表示されるのでクリックしよう。「デスクトップアイコンを隠す」、「ダークモード」、「ミュート」、「隠しファイルを表示」など、さまざまな設定がスイッチとしてリスト表示されるので、切り替えたいものをクリックすればいい。

OnlySwitch
作者／jacklandrin
価格／無料
入手先／https://github.com/jacklandrin/OnlySwitch

表示されるスイッチ項目はカスタマイズが可能だ。右下の歯車マークをクリックして設定画面で「カスタマイズ」を選んだら、表示したいものをチェックしよう。

7 ノッチ部分にドラッグ＆ ドロップして機能を実行

「TopDrop」は、メニューバーの中央部分（一部MacBookでは画面上部のノッチ部分）にファイルをドラッグ＆ドロップすることで、AirDropやメッセージ、ゴミ箱、一時保管（Top Shelf）などの機能を実行できるアプリだ。あらかじめ設定画面の「Actions」で、割り当てたい機能を1つ選んでおこう。あとは、メニューバーの中央部分にファイルをドラッグ＆ドロップすればいい。

TopDrop
作者／Timberlane Labs
価格／1,100円
入手先／ App Store

設定画面はメニューバーの中央部分をダブルクリックすれば表示できる。割り当てられる機能は1つだけだが、画面上部のノッチ部分を有効活用できるので便利。

036

仕事効率化

各種アプリを使って毎日の仕事をスピーディに!
Macでの仕事効率化を実現するBESTアプリ

1 文字入力をGoogle日本語入力に変更しよう

macOS標準の日本語入力が使いにくいときに試そう

macOS標準の日本語入力システムが使いづらいと感じた人は、他社製の日本語入力システムも試してみよう。代表的なものは「Google日本語入力」が挙げられる。Webサイトなどで使われる膨大な語彙から辞書を作成しているので、最新ニュースのキーワードや珍しい人名、流行っている店名、ネットスラングなどをスムーズに変換できるのが特徴。堅苦しいビジネス文章だけでなく、SNSで用いるような砕けた表現にも対応しているので使いやすい。入力ミスを正しい文字に補完してくれる機能もあり、文字入力を効率化できる。

Google日本語入力
作者／Google
価格／無料
入手先／https://www.google.co.jp/ime/

Google日本語入力をインストールして設定する

1 Google日本語入力をインストールする

まずは、Googleの公式サイトからGoogle日本語入力をダウンロードして、インストールしよう。なお、Macの環境によっては、以降の手順でGoogle日本語入力の入力ソースを手動で有効にしておく必要がある。

2 システム設定で入力ソースの設定をする

「システム設定」の「キーボード」を開き、「テキスト入力」の「入力ソース」欄にある「編集」をクリック。

3 入力ソースを確認して追加する

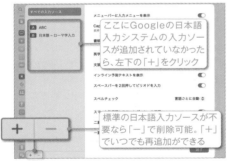

入力ソース一覧を確認し、Googleの日本語入力システムが追加されていなかったら、画面左下の「+」をクリックして追加しておこう。

4 Google日本語入力の入力ソースを追加しておく

「日本語」から追加するGoogle日本語システムの入力ソース（青いアイコン）を選ぶ。「ひらがな（Google）」と「全角英数（Google）」は最低限追加しておこう。

5 日本語入力システムを切り替える

インストールが終わったら、ステータスメニューの日本語入力アイコンをクリック。Google日本語入力システムの入力ソースに切り替えて文字入力してみよう。

POINT 仕事で文章を書く人にはATOKも試してみよう

プロのライターなどによく使われているATOKは、現時点で最も優れた日本語入力システムだ。他社アプリの追随を許さない高い変換精度はもちろん、日本語表現の間違いを指摘してくれたり、言葉の別の表現を提案してくれたりなど、使うだけで自分の文章力がアップするような機能が魅力となっている。仕事でメールや企画書、広報誌など、毎日のように文章を書いている人におすすめ。

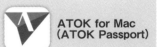

ATOK for Mac (ATOK Passport)

作者／ジャストシステム
価格／ベーシックプラン：月額330円（税込）、プレミアムプラン：月額660円／年額7,920円（税込）
入手先／https://atok.com/mac/

2 豊富なウィジェットが用意された見やすいカレンダーアプリ

標準カレンダーや
リマインダーと同期して使える

　macOS標準のカレンダーアプリは、デザインや機能がシンプルで使いやすいが、予定をしっかり管理しようとすると、機能的に色々と物足りなく感じることが多いのではないだろうか。そんな人は「FirstSeed Calendar」を使ってみよう。macOS標準のカレンダーやリマインダーと同期し、「日曜日の夜7時に食事会」といった自然言語でのスピーディな予定入力に対応しているのが特徴。毎日のイベントやタスクを効率よく一括管理できる。さまざまなサイズや表示形式のウィジェットも用意されており、アプリを起動しなくてもカレンダーやリマインダーの内容をさっと確認できるのも魅力だ。もちろん、iCloudカレンダーやGoogleカレンダーなど各種カレンダーサービスとも同期が可能。iPhoneやiPad、Apple Watch用のアプリも登場しているので、気になる人はそちらもチェックしてみるといい。

FirstSeed Calendar
作者／FirstSeed Inc
価格／3,000円
入手先／ App Store

1 自然言語で予定を素早く追加できる

アプリを起動したら、「+」ボタンを押してカレンダーに予定を追加してみよう。「日曜日の夜7時に食事会」といったように、自然言語で予定を素早く追加できる。

2 リマインダー機能も搭載している

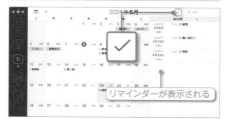

画面右上のチェックマークをクリックすれば、画面右側にリマインダー機能が表示される。リマインダーを追加するには、右クリックして「新規リマインダー」を選ぼう。

3 ウィジェットを追加してみよう

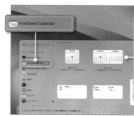

> メニューバーの日付をクリックして通知センターを表示し、「ウィジェットを編集」から選べる。ウィジェットはデスクトップに配置することもできる（No011で解説）

さまざまなサイズや種類のウィジェットが用意されているのも特徴だ。デスクトップや通知センターに好きなサイズのウィジェットを配置しよう。

● POINT

Googleカレンダーなどを同期したい場合は？

外部のカレンダーサービスと同期する場合は、「システム設定」→「インターネットアカウント」→「アカウントを追加」でカレンダーサービスを追加しておこう。あとはアプリの設定の「カレンダー」画面で表示するカレンダーを設定しておくこと。

---

3 PDFに手書きメモや注釈を自由に挿入できる

PDFの書類や資料を
編集して書き出せる

　「PDF Viewer Pro」は、PDFに注釈を挿入したり、手書きメモを書き込んだりできるアプリだ。無料のPDF編集アプリの中でもトップクラスに操作性が高く、必要十分な編集機能が用意されているのが特徴。たとえば「注釈」ボタンでは、テキストのハイライトやテキスト入力、フリーハンドでの描画、各種図形の挿入など各種注釈ツールが利用できる。また、「書類エディタ」ボタンでは、ページの削除や回転、抽出などが可能だ。もちろん、編集したPDFは共有ボタンからAirDropやメール、メッセージなどで共有したり、PDFとして書き出すことができる。メールで受け取った書類に修正指示を加えたり、リモート会議やオンライン授業で配られた資料に書き込みをしたいときな重宝するので使ってみよう。なお、有料のPro版（3ヶ月で800円）を購入すれば、より高度な機能も使えるようになる。

PDF Viewer Pro
作者／PSPDFKit GmbH
価格／無料
入手先／ App Store

1 PDFを開いて「注釈」ボタンをクリック

アプリを起動し、編集したいPDFを開こう。画面右上にある「注釈（ペンのアイコン）」ボタンをクリックしたら、ツールバーから使いたいツールを選ぶ。

2 ツールバーに表示されないツールを選ぶには？

メニューバーの「注釈」からは、ツールバーに表示されていない注釈ツールも選べる。さまざまなツールを使って、わかりやすく注釈を入れていこう。

3 ページの削除や回転、抽出なども行える

画面右上にある「書類エディタ」ボタンをクリックすると、ページの削除や回転、抽出などが行える。編集対象のページを選択した状態で、ツールバーから作業を選ぼう。

4 編集したPDFを書き出す

編集したPDFを書き出すには、画面上部の「共有」ボタンを押して、「書き出す」タブをクリック。注釈の処理を選んで「書き出す」をクリックすればいい。

4　Mac用の定番テキストエディタとして人気の「Jedit Ω」

文書作成やプログラミングに最適なテキスト編集ツール

　「Jedit Ω」は、強力な検索／置換機能、各種テキスト変換／加工ツール、プログラミング支援機能など、リッチテキストからプレーンテキストまで扱えるテキストエディタだ。企画書やブログ記事の下書き、HTMLやPythonのプログラミング作業など、幅広い用途に活用できる。

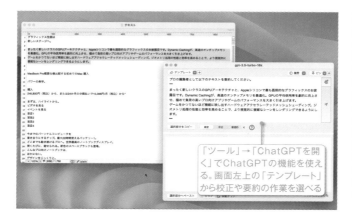

「ツール」→「ChatGPTを開く」でChatGPTの機能を使える。画面左上の「テンプレート」から校正や要約の作業を選べる

Jedit Ω
作者／MATSUMOTO Satoshi
価格／無料（PRO版は2,400円）
入手先／https://www.artman21.com/jp/

PRO版ならChatGPTによる支援機能も使える

　有料のPRO版であれば、ChatGPTで文章の校正や要約などの作業を支援してもらうことができる。この機能を使うには、あらかじめ設定画面の「ChatGPT」でAPI KEYを登録しておくこと。なお、ChatGPTをAPI経由で利用する場合、ChatGPT APIの使用料金が発生する（トークンごとの従量課金制）。

5　わからない英文は「DeepL」でスピーディかつ正確に翻訳

正確かつ自然なAI翻訳を即座に使いたいなら

　最先端のAI翻訳技術を採用し、正確かつ自然な翻訳ができるとして人気のオンライン翻訳サービス「DeepL」。このDeepLをさらに気軽に使いたいなら、macOS用の公式アプリを使おう。アプリを起動したら、翻訳したい文章を選択し、「command」キーを押しながら「C」キーを2回押すとすぐに翻訳される。PDFやWord、PowerPointファイルの翻訳も可能だ。

DeepL
作者／DeepL SE
価格／無料
入手先／https://www.deepl.com/ja/macos-app/

ショートカットキーで必要なときにすぐ翻訳できる

　常時起動させておけば、必要なときにショートカットキーですぐに翻訳できるので便利。画面上のテキストをキャプチャして翻訳する機能も搭載されている。

6　今日やるべきことに集中できるTo-Doアプリ

必要十分な機能で使いやすい定番のタスク管理アプリ

　「Things 3」は、To-Do管理をシンプルかつパワフルに行えるアプリだ。使い方は簡単。やるべきことを思い付いたら、画面中央下の「＋」ボタン（スペースキーまたは「command」＋「N」キーでも可）で新規To-Doを作成しよう。カレンダーマークを押して、期限を設定することも可能だ。あとは、今日やるべきことだけに集中すればいい。To-Do管理アプリとして必要十分な機能と、わかりやすいインターフェイスにより、すぐ使いこなせるのも魅力。iOS端末とのシームレスな同期にも対応している。

Things 3
作者／Cultured Code GmbH & Co. KG
価格／7,000円
入手先／App Store

1　To-Doの中にメモやチェックリスト入れられる

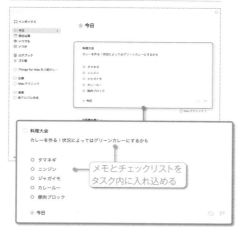

メモとチェックリストをタスク内に入れ込める

「＋」ボタンで新規To-Doを作成したら、いつ（日時）、タグ、チェックリスト、期限などを設定。1つのタスク内にメモやチェックリストを入れ込めるので便利だ。

2　エリアやプロジェクトでやるべきことを整理しよう

エリアの中にプロジェクトを入れられる

画面左下にある「新規リスト」ボタンから、「プロジェクト」や「エリア」を作って、複数のタスクを整理しよう。見出しを入れて、見やすくすることも可能だ。

7 IMAP専用メールアプリならSparkがおすすめ

メールボックスが常に一杯な人におすすめ

「Spark」は、最先端のメール管理機能を搭載したIMAP対応のメールアプリだ。複数のメールアカウントを一括管理でき、すべての受信メールは「受信トレイ」に集められる。同時に、個人用、メールマガジン、通知などのグループに自動で振り分けられ、重要だと判断されたメールは受信トレイ上部に表示される仕組みだ。macOS標準のメールアプリだと全メールアカウントで通知が行われるが、Sparkならメールアカウントごとに通知設定が可能となっている。

Spark
作者／Readdle Technologies Limited
価格／無料
入手先／ App Store

POPによるメール受信には対応していない

Sparkは、IMAPに対応したメールアカウントのみ受信可能だ。IMAPは、メールをサーバー上で管理する方式。POPによるメール受信は行えないので注意しよう。

1 重要な未読メールが受信トレイ上部に表示される

Sparkでは、重要な未読メールのみが受信トレイ上部に表示され、既読メールは下部に集まるようになっている。また、メールの内容によって「重要」や「通知」、「メールマガジン」などのグループに自動で仕分けされるため、効率的にメールチェックが可能だ。確認や返信などの対応が完了したメールは、「アーカイブ」ボタンでアーカイブ状態にしておこう。

2 重要なメールだけに通知するスマート通知を有効にする

設定の「通知」画面では、メールアカウントごとの通知設定が行える。「メール」でアカウントを選び、「スマート」を選択すれば、重要なメールのみが通知される。

3 テンプレート機能でメール作成を効率化

設定の「テンプレート」画面では、よく使うメールの文章をテンプレートとして保存しておける。テンプレートは、メール作成画面からすぐに呼び出すことが可能だ。

---

 8 オンライン会議の予定をメニューバーに表示

「MeetingBar」は、ZOOMやGoogle Meetといったオンライン会議の予定をカレンダーから取得し、メニューバーに表示してくれるアプリだ。本アプリは、標準カレンダーまたはGoogleカレンダーとの同期が可能。あらかじめオンライン会議サービス側でGoogleカレンダーなどのカレンダーサービスに連係させておき、会議の予定が自動的にカレンダーに登録されるようにしておこう。

MeetingBar
作者／Andrii Leitsius
価格／無料
入手先／ App Store

会議の予定が近づくとメニューバーに次の会議までの時間を表示してくれる。他の作業に集中しすぎて、うっかり参加し忘れてしまう……といったことが防げる。

9 幅広いサービスに対応したファイル転送アプリ

「Transmit 5」は、Mac用のファイル転送アプリだ。SFTPやFTP、WebDAV、S3に対応したサーバだけでなく、DropboxやGoogle Driveなどの代表的なクラウドストレージにも標準で対応。すっきりとしたインターフェイスで、ファイルのアップロードやダウンロードを快適に行える。ローカルとサーバ上のフォルダを同期／ミラーリングする機能も搭載している。

Transmit 5
作者／Panic, Inc. 価格／無料（7日間の試用後は年額2,800円）
入手先／ App Store

画面左にはローカル、画面右にはサーバのファイルが表示される。まずは画面中央下にある「＋」ボタンで接続するサーバの設定を行っておこう。

10 MacやWindowsをリモートコントロール

「TeamViewer」は、MacやWindows端末を外部端末からリモートコントロールできるアプリだ。外出先からiPhoneを使って自宅のMacを操作したり、Macから会社のWindowsパソコンを操作したりなどが可能。接続も簡単で、アプリを双方の端末にインストールしたらセッションコードを入力するだけだ。商用利用ではなく、個人用途であれば無料で使えるのもうれしい。

TeamViewer
作者／TeamViewer Germany GmbH
価格／無料（個人用途に限る）
入手先／https://www.teamviewer.com/ja/

外出先から自宅のMacを操作したいときに便利だ。なお、公式サイトからアプリをダウンロードするときは、「TeamViewer Full Client」をダウンロードしよう。

037
クリエイティブ

YouTube用の動画編集やSNS用の写真加工ならコレ!

動画や写真をスマートに扱う クリエイティブアプリ

1 無料で本格的な動画編集を行えるアプリ

ハリウッドでも使われている 高性能な動画編集ツール

「DaVinci Resolve」は、プロフェッショナルな編集を実現するハイエンドな動画編集アプリだ。無料アプリにもかかわらず、カット編集やトランジション、タイトル(字幕)、エフェクトなど、動画編集アプリに必要な機能はほぼ網羅。より高度な機能を搭載した有料版「DaVinci Resolve Studio」(49,980円)も用意されているが、一般的なYouTubeの動画編集用途なら無料版で十分だ。多機能なわりに画面がごちゃつかず、直感的に操作できるインターフェイスも秀逸。頻繁に使うトランジションやタイトルといった機能にはすぐアクセスできるため、思い付いたアイディアを即座に反映させやすく、複雑な編集も高速にこなすことが可能だ。なお、App Storeからダウンロードしたバージョンは一部機能に制限があるため、公式サイトからアプリをダウンロードしよう。

DaVinci Resolve
作者／Blackmagic Design Inc
価格／無料
入手先／https://www.blackmagicdesign.com/jp/products/davinciresolve/

DaVinci Resolveのインストールを行おう

1 公式サイトから ダウンロードするアプリを選ぶ

まずは、DaVinci Resolveの公式サイトで「今すぐダウンロード」をクリック。アプリの種類が表示されるので、Studioが付いていない方の「Mac OS X」ボタンをクリック。ここではベータ版のバージョン19を入手した。

2 個人情報を登録して インストーラーをダウンロード

名前やメールアドレス、電話番号などを入力

DaVinci_Resolve_19.0b2_Mac.dmg

ダウンロード完了

個人情報の登録ページになるので、名前やメールアドレス、電話番号、住所などを入力しよう。画面右下の「登録&ダウンロード」でインストーラーをダウンロードしたら、インストールしておこう。

動画の素材を取り込んで編集して書き出すまでの流れを覚えておこう

1 素材となるファイルを メディアプールに取り込んでおく

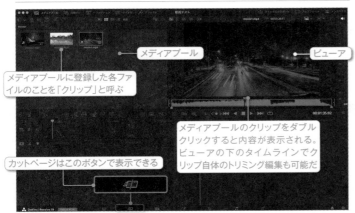

メディアプール

ビューア

メディアプールに登録した各ファイルのことを「クリップ」と呼ぶ

メディアプールのクリップをダブルクリックすると内容が表示される。ビューアの下のタイムラインでクリップ自体のトリミング編集も可能だ

カットページはこのボタンで表示できる

まずは「ファイル」→「新規プロジェクト」でプロジェクト名を入力し、新規プロジェクトを作成。初期状態では簡易的なカット編集が行える「カットページ」が表示される。動画の素材となる各種ファイルをメディアプールにドラッグ&ドロップして登録しておこう。

2 タイムライン上に クリップを並べてみよう

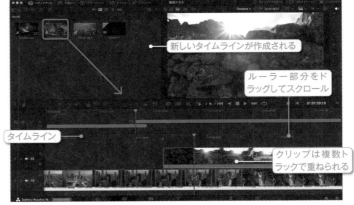

新しいタイムラインが作成される

ルーラー部分をドラッグしてスクロール

タイムライン

クリップは複数トラックで重ねられる

メディアプール内のクリップをタイムラインにドラッグ&ドロップすると、新しいタイムラインが作成される。このタイムラインに複数のクリップを並べていくのが動画編集の基本だ。なお、クリップを複数のトラックで重ねると、基本的に一番上の動画が表示される。

3 上下のタイムラインを使い分けて効率よく編集しよう

カットページには上下2つのタイムラインが存在する。上はタイムライン全体、下は一部を拡大して表示している。どちらもクリップの配置や移動などの編集が可能だ。上のタイムラインで大まかに編集して、下のタイムラインで細かい部分を調整するといい。

4 タイムラインに並べたクリップの位置や長さ、再生シーンの位置を変更する

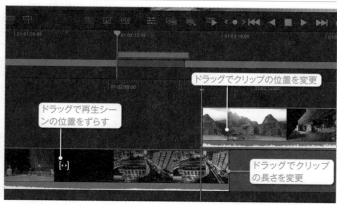

タイムライン上のクリップは、ドラッグ&ドロップで位置を調整できる。また、クリップの端部分をドラッグしてクリップの長さをトリミング、クリップ中央のマークをドラッグして（クリップの長さを変えずに）再生するシーンを前後にずらすことが可能だ。

5 音楽ファイルを配置してBGMにする

音楽ファイルもタイムラインに配置できる。このとき上もしくは下のタイムラインの一番下の部分にドラッグ&ドロップするといい。クリップの長さなども調整しておくこと。ボリュームは、クリップを選択した状態で画面右上の「インスペクタ」から調節できる。

6 動画をクイックエクスポートで書き出す

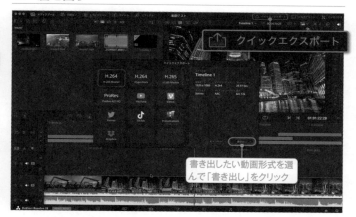

タイムライン全体を再生して問題なければ、動画ファイルとして書き出してみよう。画面右上の「クイックエクスポート」をクリックすると、上の画面が表示されるので、書き出したい動画形式を選択。「書き出し」で保存先を選べば書き出しが実行される。

エディットページでトランジションを設定してみよう

1 エディットページの基本的な構成

画面下の「エディット」ボタンでエディットページに切り替えられる。カットページと大きく異なるのは、ビューアがソースビューアとタイムラインビューアの2つになり、タイムラインが1つだけになる点だ。カットページとエディットページはいつでも切り替えられる。

2 「エフェクト」でトランジションを配置しよう

画面左上の「エフェクト」をクリックすると、エフェクトパネルが左下に表示される。ここからトランジションの一種である「クロスディゾルブ」を選び、クリップが切り替わる場所にドラッグ&ドロップしてみよう。細かい設定は「インスペクタ」から調整できる。

2 先進的な機能を搭載した多機能な画像編集アプリ

写真をより美しくするための便利機能が満載

「Pixelmator Pro」は、強力な画像編集機能を備えた画像編集アプリだ。手頃な価格ながら、プロユースにも耐えるフォトレタッチ機能をひと通り網羅している。また、機械学習アルゴリズムで写真を自動補正する「ML自動補正」や、不要なゴミなどをキレイに削除できる「修復」ツール、被写体の背景を簡単に消せるツールなど、先進的な機能が使える点も魅力だ。

Pixelmator Pro
作者／Pixelmator Team（公式サイトで
7日間試用できる試用版を入手可）
価格／7,000円
入手先／ App Store

Pixelmator Proの試用版をダウンロードしよう

1 公式サイトから試用版をダウンロードする

App Storeで製品版を購入する前に、試用版を試してみよう

まずは、Pixelmator Proの公式サイトにアクセス（https://www.pixelmator.com/pro/）。「Free Trial」→「Download now」をクリックして、試用版のファイルをダウンロードしよう。

2 圧縮ファイルを展開してアプリを実行しよう

ダウンロードした圧縮ファイルをダブルクリックすると、試用版のアプリが出てくる。これを実行して「試用する」をクリックすれば試用版が起動する。なお、製品版を使いたい場合はApp Storeからダウンロードしよう。

Pixelmator Proの基本的な機能

1 アプリを起動したら編集したい写真を開こう

Pixelmator Proを起動すると上の画面が表示される。既存の写真を開きたい場合は、「Macでファイルを閲覧する」から読み込もう。

2 写真の色合いを変更するにはカラー調整ツールを使う

カラー調整ツール

プリセットから色合いを変更できる

画面左のサイドバーにはレイヤーが表示される

「ML自動補正」で色合いを自動補正

画面右のツールサイドバーからカラー調整ツールを選択し、「ML自動補正」を押せば色合いを自動補正してくれる。また、プリセットからシネマティックやヴィンテージ風の色合いを呼び出して適用することも可能だ。

3 写真の背景を削除して透過処理できる

背景の削除

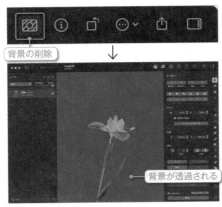

背景が透過される

ウインドウ右上にある背景の削除機能を使えば、現在選択されているレイヤーの被写体と背景部分を検出し、背景を消去して透過状態にしてくれる。

4 修復ツールで必要のない部分を自然に消去

修復したい部分を選択

自然に消せる

ツールサイドバーから修復ツールを選ぶと、写真のゴミや不要な要素を自然に消すことができる。修復ツールで写真の修復したい部分をドラッグして選択してみよう。

POINT

豊富なテンプレートを活用しよう

起動直後の画面で「新規書類を作成」をクリックすると、テンプレートの選択画面になる。ここでは、各種SNSの投稿用やYouTubeのサムネールタイトル用、ロゴ製作用などさまざまなテンプレートが用意されている。うまく活用してみよう。

3 高度な2Dグラフィックやポスターなどをスムーズに制作できる

プロ用ツールと遜色ない ベクターグラフィックエディタ

「Linearity Curve」は、無料で使えるベクターベースのグラフィックエディタだ。元々は「Vectornator」という名前の人気アプリだったが、2023年7月に名称が変更となった。本アプリでは、プロ用アプリ並の機能が備わっており、ちょっとしたロゴデザインやイラスト制作、本格的なWebサイトやアプリのインターフェイスデザインなどが行える。各種ブラシやレイヤー、グループ化、整列機能など、グラフィックエディタとして必要な機能はほぼ網羅されているので、ストレスなく作業が可能だ。なお、本アプリで作成したデータはクラウド上に保存され、ローカルには保存できない。また、無料版の場合は3つのファイルまでしかクラウド上に保存できないので注意しよう。ファイルをもっと保存したい場合は、Pro版（月額2,200円〜）にアップグレードする必要がある。

Linearity Curve
作者／Linearity GmbH
価格／無料
入手先／App Store

1 初回起動時には 購入画面を一旦閉じよう

「×」で閉じる

アプリを起動すると、Pro版の紹介画面が表示される。ひとまず無料版で試したい場合は、購入手続きをせずに「×」で画面を閉じてしまっていい。

2 ファイル管理画面で ファイルを開く

リマインダーが表示される

ファイル管理画面が表示される。まずはサンプルファイルを読み込んで、どんなことができるかチェックしてみよう。または「＋」ドキュメントを新規作成してもいい。

ツールバー

インスペクタ

アレンジ

レイヤー（サイドバー）

各種ツール

アートボード

3 各種ツールを 使いこなそう

各種ツールを選ぶと、画面右にインスペクタが表示され、ツールの詳細設定が行える。画面上部のツールバーからは、選択したオブジェクトのグループ化やマスクなどを実行可能だ。レイヤーはサイドバーに表示される。

---

4 多種多様な動画形式に対応したシンプルなメディアプレイヤー

QuickTime Playerだと 再生できない動画にも対応

「IINA」は、モダンなデザインを採用したメディアプレイヤーだ。ほぼすべての動画ファイル形式に対応し、QuickTime Playerでは再生できないWindows Media Video（WMV）形式などにも対応。プレイリスト機能、再生速度の調整など便利な機能も搭載している。

IINA
作者／iina.io
価格／無料
入手先／https://iina.io/

POINT

動画の再生速度を 変更するショートカット

動画の再生速度は、アプリケーションメニューの「制御」→「再生速度を〇〇倍」から変更できる。ショートカットキーでは、「command」+「「」」キーで再生速度2倍、「command」+「option」+「¥」キーで速度リセットが行えるので覚えておこう。

ボタンで各種機能を呼び出す

細かな設定で快適な動画視聴ができる

プレイヤー上のボタンで、ピクチャー・イン・ピクチャー再生やプレイリスト画面、クイック設定などを呼び出せる。クイック設定では再生速度の調整も可能だ。また、クイック設定の「オーディオ」→「オーディオディレイ」の設定で、映像と音のタイミング調整にも対応。音ズレしている動画もこれなら快適に視聴できるだろう。

Mac上級者が常用している便利ツールを厳選紹介!

Macで便利な機能を利用できる お役立ちツール

1 アプリのアンインストールを行うなら必須のアンインストーラー

アプリに関連するファイルを 根こそぎ削除できる

macOSでアプリをアンインストールする場合、Launchpadから削除するか、アプリケーションフォルダ内のAppファイルをそのままゴミ箱に捨てて削除すればいい。ただ、この方法だと、削除したアプリに関連する一部ファイルやフォルダ、設定などがシステムに残ってしまうことがある。そのままでも特に問題はないのだが、不必要なファイルを残したくないのであれば「App Cleaner」を利用しよう。アンインストールしたいアプリのAppファイルをドラッグ&ドロップするだけで、そのアプリに関連するファイルを自動で検索し、一気に削除することが可能だ。

App Cleaner
作者／FreeMacSoft　価格／無料
入手先／https://freemacsoft.net/appcleaner/

1 アプリを完全に アンインストールする

ドラッグ&ドロップする

クリック

アンインストールしたいアプリのAppファイルをApp Cleanerのウインドウ内にドラッグ&ドロップ。削除したいものにチェックを入れて「Remove」をクリックしよう。

2 リスト表示でアプリ一覧からも アンインストール削除できる

クリック

アプリ名をクリックして アンインストールする

ウインドウ右上にあるリスト表示ボタンをクリックすると、インストールされているアプリ一覧が表示される。そこから各種アプリをアンインストールすることも可能だ。

2 テキストや画像のコピー&ペースト 操作をより便利に

「Clipy」は、使い勝手のいいクリップボード拡張アプリだ。過去にコピーしたテキストや画像などを履歴として蓄積し、必要なときに呼び出して貼り付けられる。また、よく使う文章をスニペット（定型文）として登録しておき、いつでも呼び出せる機能も搭載。スニペットの登録は、ステータスメニューから「スニペットを編集」を選んでフォルダを追加すれば可能だ。

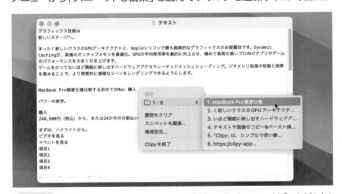

Clipy
作者／Clipy Project
価格／無料
入手先／https://clipy-app.com/

Clipyのメニューは「shift」+「command」+「V」キーなどのショートカットキーで呼び出すことができる。ここから過去の履歴やスニペットを貼り付けることが可能だ。

3 フォルダに色やシンボルマークを 付けて管理できる

「カメレオン」は、フォルダの色を自由に変更できるアプリだ。アプリを起動したら、表示された画面にフォルダをドラッグ&ドロップ。好きな色を選択して「保存」をクリックしよう。これでフォルダの色が変更される。また、「シンボル」欄のボタンをクリックすると、フォルダに好きなシンボルマークを付けることが可能だ。シンボルの色や大きさも好みの状態にしておこう。

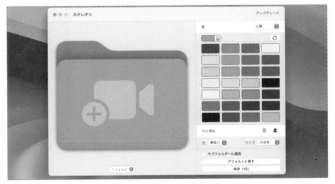

カメレオン
作者／Fu Shaobing
価格／無料（正式版は400円）
入手先／App Store

アプリを起動したら、ウインドウ内にフォルダをドラッグ&ドロップする。フォルダの色を選んだら「保存」をクリックすれば設定完了だ。なお、無料版だとフォルダの色変更が10回までに制限されている。

あらゆる圧縮ファイルを即座に展開できる

macOSは標準でZIP形式の圧縮ファイルを展開（解凍）することが可能だ。しかし、RARや7-ZIPなど、そのほかの圧縮ファイル形式を展開したい場合は、別のアプリが必要となる。そこでインストールしておきたいのが、シンプルで使いやすい「The Unarchiver」。インストールして初期設定を済ませれば、あらゆる圧縮ファイルをダブルクリックだけで展開できるようになる。

 The Unarchiver
作者／MacPaw Inc.
価格／無料
入手先／ App Store

インストールしたらアプリを起動。環境設定画面が表示されるので、The Unarchiverで開く圧縮ファイル形式や展開先のフォルダなどを設定しておこう。

 コピーしたテキストをプレーンテキスト化

「Get Plain Text」は、コピーされたテキストをプレーンテキスト化してくれるユーティリティだ。ウェブサイトやPDFファイルからコピーしたテキストをメールなどに貼り付けると、文字色や太字といった書式情報もそのまま反映されることがある。こういった書式情報が不要なら、このアプリを使い、テキストをプレーンテキストに変更してからテキストエディタに貼り付けるといい。

 Get Plain Text
作者／Alice Dev Team
価格／無料
入手先／ App Store

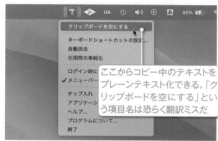

ステータスバーから「クリップボードを空にする」を実行するか、「shift」+「command」+「K」キーで、現在コピー中のテキストがプレーンテキストになる。

 Macをスリープさせたくないときに

「Amphetamine」は、一定時間または指定した条件の間、スリープ状態にならないようにするアプリだ。Macは、一定時間操作していないと自動でスリープ状態となり、画面が消えるだけでなく、アプリやダウンロードなどの動作も止まってしまうことがある。寝ている間に大容量ファイルをダウンロードしておきたいときなどには、このアプリを使ってスリープを回避しておくといい。

Amphetamine
作者／William Gustafson
価格／無料
入手先／ App Store

メニューバーアイコンからスリープを回避しておく条件を設定しよう。一定時間や時刻、アプリが開いている間、ファイルをダウンロードしている間などが選べる。

 秘密のファイルを隠して保存できる

「Hider Pro」は、他人に見せたくない秘密のファイルをアプリ内に隠して、パスワードで保護できるアプリだ。ファイルやフォルダを隠したい場合は、アプリのウインドウ内にドラッグ&ドロップするだけ。この際「Delete」を押すとオリジナルのファイルがFinderから消され、アプリ内のみに保存されるようになる。なお、無料版だと保存容量が500MBまでに制限されている。

 Hider Pro
作者／Omi Software Studio Inc.
価格／無料（VIP版は月額600円〜）
入手先／ App Store

隠したファイルにアクセスする場合は、メニューバーアイコンから「Unlock Hider-Pro」を選び、あらかじめ設定したパスワードを入力すればいい。

 Macのメンテナンスに欠かせない定番アプリ

「OnyX」は、長年Macユーザーに愛されている多機能なユーティリティアプリだ。システムのメンテナンスや不要ファイルのクリーニングを実行したり、FinderやDockなどの細かい挙動を設定したりできる。たとえば、「Parameters」タブの「Finder」→「Show hidden files and folder」を有効にすれば、普段は見えない不可視ファイルを可視化することが可能だ。

OnyX
作者／Titanium Software
価格／無料
入手先／https://www.titanium-software.fr/en/onyx.html

起動したら、「Maintenance」→「Run Tasks」を実行しよう。これだけでファイルシステムのチェックや不要なファイルのクリーニングなどを行ってくれる。

ショートカットキー一覧を素早く表示してくれる

「KeyCluCask」は、使用中のアプリのショートカットキー一覧を一覧表示してくれるアプリだ。アプリをインストールして起動状態にしたら、commandキーを2回押し、2回目は長押し状態にしてみよう。すると、現在使っているアプリのショートカットキー一覧が画面に表示される。これなら、色々なアプリのショートカットキーをすぐに確認できるのでとても便利だ。

KeyCluCask
作者／Sergii Tatarenkov
価格／無料
入手先／https://github.com/Anze/KeyCluCask

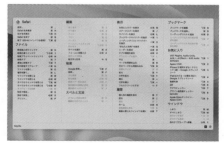

ショートカットキーがカテゴリごとに一覧表示されるので、必要なショートカットキーを確認しやすい。アプリをもっと使いこなしたい人は使ってみよう。

MacでもSteamのゲームを楽しもう

Nintendo SwitchやPS5のコントローラーをMacで利用する

Bluetoothでペアリングして利用できる

Macでは、Nintendo Switchのコントローラー「Joy-Con」や、PS5のコントローラー「DualSense」を接続して、コントローラー操作に対応するゲームを遊ぶことが可能だ。あらかじめMacの「システム設定」→「Bluetooth」をオンにしておき、コントローラ側でBluetoothのペアリング設定を行おう。他に、「Nintendo Switch Proコントローラー」や、PS4の「DUALSHOCK 4」、「Xboxワイヤレスコントローラー」なども接続できるので、それぞれ公式サイトなどでペアリング方法を調べよう。接続したコントローラで遊ぶゲームは、App Storeから探すほかにも、PCゲーム配信プラットフォーム「Steam」でも探してみよう。Steamで配信されているゲームはほとんどがWindowsのみの対応だが、比較的軽めのゲームならmacOSに対応しており、Macでも問題なく楽しめる。Windowsにしか対応していないゲームも、Parallels Desktop（No032で解説）を利用すればMac上でプレイすることが可能だ。

Macにコントローラーを接続する

プレイヤーランプが点滅するまで長押し

2つのボタンを中央のライトバーが点滅するまで長押し

SwitchのJoy-Conを接続する手順

Joy-Conの側面中央にある「シンクロボタン」を、ボタン横のプレイヤーランプが点滅するまで長押しする。あとはMacで「システム設定」→「Bluetooth」を開き、表示されるJoy-Conの名前にポインタを合わせて「接続」をクリックする。左右2本のJoy-Conを接続したい場合は、同様の接続手順をもう一方のJoy-Conで行う。

PS5のDualSenseを接続する手順

DualSenseの「クリエイト」ボタンと「PS」ボタンを、中央のライトバーが点滅するまで同時に長押しする。あとはMacで「システム設定」→「Bluetooth」に表示されるDualSenseの名前にポインタを合わせて「接続」をクリックすればよい。

Steamのゲームをコントローラで楽しむ

1 Steamアプリをインストールする

Steam
作者／Valve Corporation
価格／無料
入手先／https://store.steampowered.com/?l=japanese

Steamの公式サイトにアクセスしたら、画面上部の「Steamをインストール」をクリック。続けて「Steamをインストール」をクリックしてインストールする。

2 Steamアカウントでサインイン

Steamアカウントがない場合はここをクリックして新規作成する

Steamのアカウント名とパスワードを入力してサインインする。Steamのアカウントがないなら、右下の「無料アカウントの作成」から作成しておこう。

3 SteamのゲームをMacで楽しむ

あとはmacOS対応ゲームを探し、購入とインストールを済ませれば、接続したコントローラで操作してゲームを楽しめる。

POINT

Macで遊べるゲームを探すには

Steamアプリでゲームを検索した際に、タイトルにAppleのマークが表示されてれいれば、そのゲームはmacOSに対応している。macOSの対応タイトルのみを絞り込んで検索することも可能だ。購入済みのゲームでmacOS対応のものを探すには、ライブラリ画面の検索欄横にあるAppleマークをクリックしてオンにすればよい。

検索時に「macOS」にチェックするとmacOS対応ゲームを絞り込める

SECTION

5

メンテナンスと
セキュリティ

いざという時に助かるTime Machineでのデータバックアップ手順を詳細に解説するほか、
マルウェア対策やパスワード管理、アカウント設定、紛失対策、フォントの追加、
不要データの削除など、メンテナンスとセキュリティをまとめてフォロー。

macOSのバックアップシステムを使いこなす

Time Machineで
データのバックアップを行う

macOSの全ファイルを 手軽にバックアップできる

「Time Machine」は、macOS標準のバックアップシステムだ。システムが起動していないドライブ（外付けのSSDやHDDなど）をバックアップ用ドライブとして設定しておくと、macOSのすべてのファイルを自動的にバックアップしてくれる。ドライブの空き容量次第では、長期間の差分バックアップも保存されるため、好きな日時を選んで特定フォルダ内のファイルを復元したり、システム全体をバックアップした状態に戻したりが可能だ。ここでは、空の外付けドライブを用意し、Time Machineでバックアップする方法を紹介しよう。

バックアップ用の外付けドライブを用意しよう

SDSSDE61-1T00-GH25
エクストリーム ポータブル
SSD 1TB
メーカー／SanDisk
実勢価格／18,162円（税込）

万全なバックアップには 総容量の2〜3倍以上の 空き容量が必要

Time Machineによるバックアップを万全に行うには、大容量の外付けドライブを使うといい。容量は、バックアップする総容量の2〜3倍ぐらいあると安心だ。容量が少ないと、復元時にあまり日時を遡れなくなってしまう。外付けドライブの種類はSSDが高速でバックアップできるのでおすすめ。予算を抑えたいならHDDでもかまわないが、バックアップにかなり時間がかかってしまう。なお、ネットワーク接続ハードディスクもバックアップディスク先として使えるが、バックアップ中はネット接続が遅くなることがあるので注意しよう。

外付けドライブ全体をTime Machine専用にする場合

APFSフォーマットで ドライブを消去しておこう

バックアップ用の外付けドライブをMacに接続したら、ディスクユーティリティで内容を消去しておこう。なお、すでに通常のデータが保存されている外付けドライブ（APFSフォーマットのもの）を使いたい場合、Time Machine用のボリュームを別に追加して使うことも可能だ（右ページ参照）。

1 外付けドライブを 接続する

Macに外付けドライブを接続した場合、上のようにTime Machineでバックアップを作成するかどうか通知表示される。ここではバックアップの設定は行わず、一旦通知を消しておこう。

2 ディスクユーティリティを 起動する

Time Machineのために用意した外付けドライブは、最初に消去して内容をすべて消しておくとトラブルが少ない。消去するには、Launchpadの「その他」→「ディスクユーティリティ」を開く。

3 すべてのデバイスを 表示する

ディスクユーティリティが起動したら、「表示」→「すべてのデバイスを表示」を有効にしておこう。

4 外付けドライブを 消去する

ディスクユーティリティの画面左側から消去する外付けドライブを選び、「消去」をクリック。なお、消去するとドライブの内容はすべて消える。

5 フォーマットを 決める

ドライブの名前を決めて、上のような設定にしておく。「消去」でディスクの消去開始だ。なお、ディスクを暗号化したい場合は、次ページの記事を参照してほしい。

6 ディスクの消去が 完了する

消去が終わると上のような画面になる。「完了」で画面を閉じ、ディスクユーティリティを終了しよう。

外付けドライブ内のボリュームをデータ保存用とバックアップ用で分ける場合

1つのドライブを2つのボリュームで分ける

外付けドライブにパーティション（ボリューム）を追加すれば、通常のデータ保存用とバックアップ用とで保存領域を切り分けることが可能だ。ただし、外付けドライブ全体の空き容量は十分に確保しておくこと。APFSの各ボリュームの空き容量は共通なので、全体の空き容量が少なくなると、順次一番古いバックアップデータから消えていくので注意だ。

1 「パーティション作成」を実行する

APFSフォーマットの外付けディスクを接続したら、ディスクユーティリティを起動。外付けドライブを選択して「パーティション作成」をクリックしよう。

2 「+」ボタンをタップする

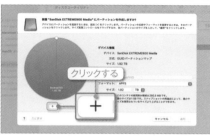

上のような画面が表示され、ここでパーティションの作成や削除を行っていく。左の円グラフの下にある「+」ボタンをクリックしよう。

3 ボリュームを追加する

外付けドライブがAPFSフォーマットであれば、上の画面が表示される。ここではパーティションを追加するのではなく「ボリュームを追加」を選んでおこう。

4 新しいボリュームの設定を行う

ボリュームの名前を付けたら、フォーマットに「APFS」を選び、「追加」をクリック。これで新しいボリュームが追加される。

5 ボリュームが追加された

サイドバーを確認すると、1つの外付けドライブ内に2つのボリュームが存在しているはずだ。それぞれは別のボリュームとして使うことができる。

APFSの各ボリュームは空き容量が共有される

APFS形式でフォーマットされた物理ディスクでは、「コンテナ」と呼ばれる区切りの中に複数のボリュームを追加することができる。また、各ボリュームの空き容量は、ディスク全体で共有できるのも特徴だ。そのため、旧来のパーティションを分けるときのように、あらかじめ各ボリュームの容量を決めておく必要はない。たとえば、総容量1TBの物理ディスクにAとBの2つのボリュームを追加し、Aに300GBのデータを保存したとしよう。物理ディスクの残り容量は700GBとなるが、この空き容量は、ボリュームAでもBでも使うことができる。この仕組みをしっかり理解しておこう。

POINT 外に持ち出す外付けディスクは暗号化しておこう

外出先に外付けディスクを持ち出すという人は、ディスク（ボリューム）を暗号化しておこう。もし、暗号化していないディスクを紛失した場合、そのディスクを入手した人なら誰でも中身を読み取れてしまうため危険だ。ディスクを暗号化しておけば、接続時にパスワード入力が必要になり、自分以外の人はアクセスできなくなる。ただし、パスワードを忘れてしまうと、そのディスクに一切アクセスできなくなり、ディスクを消去するし

かなくなってしまうので注意が必要だ。なお、パスワードをキーチェーンに保存しておけば、そのMacとの接続時だけパスワード入力が不要になるので便利だ。ちなみに、Time Machineの設定時にもバックアップディスクの暗号化ができるので（次ページ参照）、ディスクの消去時に暗号化を忘れても、そちらで改めて暗号化すればいい。

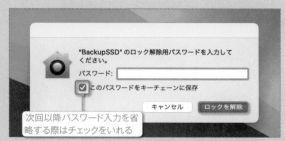

外付けドライブを暗号化するには、ディスクユーティリティのドライブ消去時にフォーマットとして「APFS（暗号化）」を選択。ロック解除用のパスワードを設定してから「消去」してフォーマットしよう。

暗号化されたディスクは、接続時にパスワード入力が必要になる。なお、「このパスワードをキーチェーンに保存」にチェックを入れておけば、次回以降、同じMacとの接続時はパスワード入力が不要だ。

Time Machineでバックアップを実行する

実際にTime Machineでバックアップしてみよう

バックアップを実行するには、「システム設定」の「一般」→「Time Machine」を開き、ドライブをTime Machineのバックアップディスクとして追加すればいい。すると初回バックアップが実行され、そのあとは定期的に自動バックアップ(ドライブを常時接続している場合)が行われる(初期設定では1時間に1回)。なお、初回はフルバックアップが実行されるため、完了までに数時間～数日かかることもあるので注意。2回目以降は差分バックアップなので短時間で終わる。また、バックアップはバックグラウンドで行われ、バックアップ中でもほかの作業を行うことが可能だ。

1 Time Machineの設定を行う

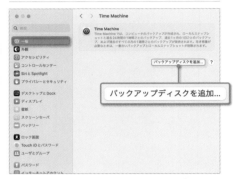

Appleメニューから「システム設定」を開き、「一般」→「Time Machine」を選択。上の画面になるので「バックアップディスクを追加」をクリックしよう。

2 バックアップディスクを選択する

ドライブ一覧が表示されるので、Time Machineのバックアップ先にしたいディスク(ボリューム)を選択。「ディスクを設定」をクリックしよう。

3 バックアップの暗号化設定を行う

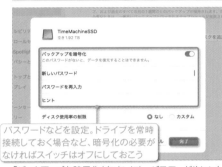

「バックアップを暗号化」をオンにし、パスワードやヒントを設定して「完了」クリック。これでTime Machineのバックアップディスクが暗号化(前ページ参照)され、アクセスするのにパスワードが必要になる。

4 バックアップが自動的に開始される

しばらく待っているとバックアップが開始される。ドライブが接続されていれば、あとは定期的に自動でバックアップが行われるので、特に操作する必要はない。

5 バックアップの頻度や除外する項目を設定

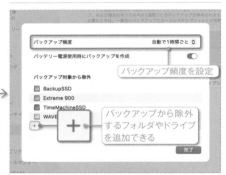

「オプション」からは、バックアップ頻度やバックアップ対象から除外する項目を設定できる。特定のフォルダやドライブを除外したい場合は「+」から追加しておこう。

6 バックアップが完了する

上の画像のような通知が表示されたら、初回バックアップは完了だ。バックアップ先に設定したドライブは、Time Machineのアイコンに変わる。

メニューバーからTime Machineの操作が行える

メニューバーにTime Machineのアイコンが表示されていない場合は、「システム設定」→「コントロールセンター」のTime Machine項目を「メニューバーに表示」にしておこう。

POINT

暗号化していない既存のバックアップディスクを暗号化する

「システム設定」→「一般」→「Time Machine」で、バックアップディスクを選択。「ー」をクリックしてから「バックアップ先を解除」をクリックしよう。その後、Time Machineのバックアップディスクとして改めて追加し、暗号化設定を行えばいい。なお、外付けディスクの場合は既存のバックアップが保持されるが、ネットワークディスクの場合は内容がすべて消去される。

Time Machineでバックアップしたデータを復元する

Time Machineなら 簡単にデータを復元可能

Time Machineでの復元方法は、「特定のファイルを復元する」、「移行アシスタントでファイル全体を復元する」の2つの方法がある。万が一のときに備えて、以下で復元手順をしっかり確認しておこう。なお、Time Machineのバックアップは、macOSを初期化したときの復元作業でも利用することができる。

特定のファイルを復元する方法

1 Time Machineバックアップをブラウズする

復元したいファイルが元々あったフォルダやドライブを開き、メニューバーから「Time Machineバックアップをブラウズ」を実行しよう。

2 タイムラインから日時を選び 復元したいファイルを探す

画面右下のタイムラインやウインドウ横のボタンで、復元したいバックアップの日時を選ぼう。ドライブの空き容量が多ければ、より昔の日付まで戻ることができる。

3 ファイルを選択して 復元する

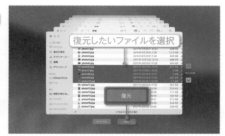

クイックルックや検索を使いつつ、復元したいファイルを見つけよう。フォルダやフォルダを選択して「復元」を選べば、すぐに項目が復元される。

移行アシスタントでファイル全体を復元する方法

1 「移行アシスタント」を 起動する

Launchpadを開いて「その他」→「移行アシスタント」を起動。「続ける」をクリックしたら、Time Machineバックアップを選択して「続ける」をクリックする。

2 Time Machine バックアップを選択

Time Machineのバックアップデータが入ったディスクを選択して「続ける」をクリック。さらに、日時別のバックアップリストから復元するデータを選択しよう。

3 転送する情報を 選択して復元開始

元のバックアップデータから何を転送するかを選択し、アカウントの認証などを済ませると転送が始まる。転送には数時間かかることもあるのでしばらく待とう。

◯ POINT　MacBookでTime Machineを使う場合は手動バックアップも使いこなそう

MacBookを頻繁に持ち運ぶユーザーだと、Time Machineのために外付けドライブを常時接続しておくのはあまり現実的ではない。そんなときは、週に1回ぐらい外付けドライブを接続し、自動バックアップではなく、手動バックアップを実行しよう。手動バックアップを行うには、「システム設定」→「一般」→「オプション」で「バックアップ頻度」を「手動」にしてお

く。あとは、ステータスメニューからTime Machineのアイコンをクリックして「今すぐバックアップを作成」を実行すればいい。なお、外付けドライブを外す際は、デスクトップにある外付けドライブのアイコンをゴミ箱にドラッグ&ドロップしてから外すこと。

外付けドライブ接続時に、メニューバーから「今すぐバックアップを作成」を実行すれば手動バックアップが行える。

ドライブのアイコンをゴミ箱にドラッグ&ドロップすると、マウントの解除が可能だ。ドライブの内容が消えるわけではない。

040

必ずチェックしたいセキュリティ項目を総まとめ

Macのセキュリティを整える

セキュリティ

1　自動アップデートのセキュリティ項目を有効にする

ソフトウェアアップデートの設定を行おう

macOSは、自動的にソフトウェアアップデートを確認する機能がある。セキュリティを高めるために「システム設定」→「ソフトウェアアップデート」で必要な設定をしておこう。最新のアップデートを自動で受け取るには、「アップデートを確認」、「新しいアップデートがある場合はダウンロード」、「セキュリティ対応とシステムファイルをインストール」の項目をオンにしておくのがおすすめだ。

1　システム設定のソフトウェアアップデートを表示

まずは、「システム設定」を起動して「一般」→「ソフトウェアアップデート」をクリック。「自動アップデート」欄の右端にある「i」マークをクリックしよう。

2　最新のアップデートを自動で受け取れるようにする

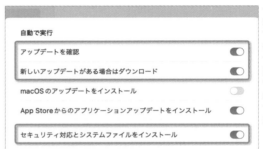

セキュリティを最新状態に保つのであれば、左の画像で示している3つの項目をオンにしておくのがおすすめだ。各項目の機能については以下表を参照してほしい。

ソフトウェアアップデートの項目について

項目	内容
アップデートを確認	Mac付属のアプリケーションアップデートおよび、重要なセキュリティアップデートがあるかどうかを常に確認する。アップデートが見つかった場合は通知を表示してくれる
新しいアップデートがある場合はダウンロード	各種アップデートが見つかった場合、ユーザーに確認することなくダウンロードを行う。この項目をオンにしても、アップデートがダウンロードされるだけでインストールは行われない
macOSアップデートをインストール	macOSアップデートが見つかった場合、自動的にインストールする。アップデートによる不具合も発生しがちなので、スイッチをオフにした上、不具合の報告を精査して自分のタイミングで手動アップデートするのがおすすめ
App Storeからのアプリケーションアップデートをインストール	App Storeからダウンロードしたアプリにアップデートが見つかった場合、自動的にインストールする。アプリは自分で手動アップデートするのがおすすめだが、面倒であればオンにしておいてもいい
セキュリティ対応とシステムファイルをインストール	重要なセキュリティアップデートが見つかった場合、自動的にインストールする。安全性を高めるためにも、こちらはオンにしておくことが推奨される

POINT

各種アップデートを手動で行う

macOSの手動アップデート
macOSを手動でアップデートしたい場合は、「システム設定」の「一般」→「ソフトウェアアップデート」を開こう。アップデートがある場合は、画面に表示されるインストール手順に従えばよい。

App Storeアプリの手動アップデート
「App Store」アプリを起動したら、サイドバーから「アップデート」をクリック。アップデートがある場合は、「すべてをアップデート」またはアプリごとの「アップデート」ボタンをクリックしよう。

App Storeでインストールしたアプリは、App Storeで手動アップデートが可能だ。「アップデート」画面を表示すると、現在インストールされているアプリのうち、アップデートがあるものを表示してくれる。

2　ディスプレイを閉じたら即座にロック

退席時にMacBookを他人に使わせないために

　MacBookを使っていて一時的に席を離れる場合、他人に画面の内容をこっそり覗かれたり、MacBook自体を使われたりする危険性がある。こういったセキュリティリスクを防ぐには、MacBookから離れる前にロック状態にしておき

たい。以下のように、システム設定の「ロック画面」で「スクリーンセーバの開始後またはディスプレイがオフになったあとにパスワードを要求」を「すぐに」に設定しておくと、ディスプレイを閉じるだけですぐロック状態にできる。

1 システム設定のロック画面設定を表示する

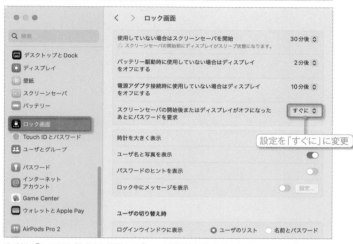

まずは、「システム設定」を起動して「ロック画面」を開く。「スクリーンセーバの開始後またはディスプレイがオフになったあとにパスワードを要求」を「すぐに」に設定しよう。

2 ディスプレイを閉じるとMacBookがロックされる

この状態でMacBookのディスプレイを閉じると、即座にロックされる。ディスプレイを開くとロック画面が表示され、解除するにはパスワードやTouch IDでの認証が必要だ。

3　自動ログインをオフにする

電源オン時にログインウインドウを表示させる

　Macは、電源をオン時やロック時に、パスワードやTouch IDなどの認証を行うロック画面（ログインウインドウ）が開くようになっている。設定によっては、ログインウインドウを表示せずに自動でログインさせることも可能だ（下の記事を参照）。ただし、その状態だとMacが誰でも使えるようになるため危険。右のようにログインウインドウが表示される設定にしておこう。

システム設定で自動ログインをオフにする

　「システム設定」→「ユーザとグループ」を開き、「自動ログインのアカウント」で「オフ」にしておこう。これにより、電源オン時やロック時に毎回ログインウインドウが表示されるようになる。標準状態ではこの設定になっている。

電源オン時やロック時にログインウインドウを表示させるには「オフ」にしておく

POINT

Macに自動ログインするには？

　自動ログインを有効にしたい場合は、「システム設定」→「ユーザとグループ」を開き、「自動ログインのアカウント」で自動ログインさせたいアカウントを選択しよう。これにより、Macを再起動するだけで誰でもMac

にアクセスできるようなる。ただし、そのMacではTouch IDやApple Payが使用できなくなるので注意が必要だ。また、FileVaultがオンの場合、自動ログインはオンにできなくなる。

4 ファイアウォールで外部からの侵入を防御

不正アクセスを防ぐための必須設定

macOSには、外部からの不正アクセスを防ぐファイアウォール機能が備わっている。これを有効にすると許可されていない外部からの通信を防ぎ、セキュリティリスクを抑えることが可能だ。ただし、ファイアウォールがオンの状態だと、一部アプリが外部からの通信を受けられなくなり、アプリ自体に不具合が出ることがある。その場合は、「システム設定」にあるファイアウォールのオプション画面で、外部からの通信を許可するアプリを個別に登録しておこう。

1 「システム設定」で「ファイアウォール」をオンにする

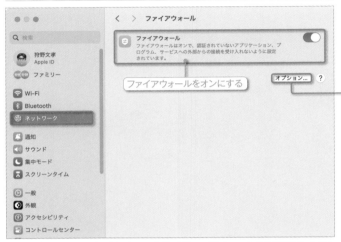

まずは、「システム設定」の「ネットワーク」から「ファイアウォール」画面を開く。上のように「ファイアウォール」のスイッチをオンにしておこう。

2 特定のアプリで外部からの通信を許可する場合

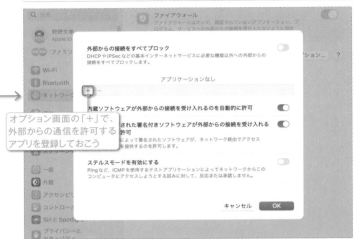

多くのアプリはファイアウォールがオン状態でも問題なく使えるが、一部のアプリは動作に不具合が出ることも。その場合は、アプリごとに外部からの通信を許可しておこう。

5 FileVaultでMacのデータを暗号化

Mac紛失時の情報流出リスクを軽減

　Macを紛失してしまった場合、何も対策をしていないと内部の情報を読み取られてしまうリスクが存在する。ログインウインドウでアカウントパスワードを入力する設定にしていても、ネットワーク経由や内蔵ディスクへの物理的な接続などで不正アクセスされるリスクは避けられない。そこでmacOSには、起動ディスクへの不正アクセスを防ぐ「FileVault」というセキュリティ機能が搭載されている。XTS-AES-128暗号化方式と256-ビットのキーを用いることでディスク全体を暗号化し、他人のアクセスを阻止することが可能だ。会社の機密データや重要な個人情報を扱っている場合は、必ずオンにしておこう。設定は、「システム設定」→「プライバシーとセキュリティ」画面にある「FileVault」で行える。なお、FileVaultをオンにしたディスクにアクセスするには、アカウントパスワードでのロック解除が必要だ。万が一アカウントパスワードを忘れた場合は、iCloudアカウントでロックを解除するか、復旧キーでロックを解除するかの2つの方法で復旧できる。

1 「システム設定」でFileVaultをオンにする

FileVaultをオンにする場合は、「システム設定」→「プライバシーとセキュリティ」を開き、「FileVault」の横にある「オンにする」をクリックしよう。

3 FileVaultがオンになる

しばらく待つとFileVaultがオンになる。なお、もしFileVaultをオフに切り替えたいときは、上の画面の「オフにする...」をクリックすればいい。

2 ディスクのロック解除にiCloudアカウントを使うかの設定

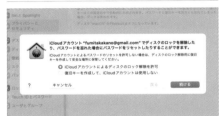

アカウントのパスワードを忘れたときの復旧方法を選択。よくわからなければ「iCloudアカウントによるディスクのロック解除を許可」を選択すればいい。

⌫ POINT

FileVaultを有効化したらバックアップも忘れずにしておこう

Appleシリコン搭載MacのFileVaultでは、内蔵されている「Secure Enclave」と呼ばれるプロセッサを用いてディスクの暗号化やロック解除を行う。もし、このプロセッサが物理的に壊れてしまうと、起動ディスク自体が壊れていなくてもアクセスできなくなる危険性がある。FileVaultを有効化した場合は、万が一に備えてTime Machineなどを使ってバックアップをしておこう。

6 紛失盗難に備える設定をチェックする

MacBookの「探す」機能を有効にしておく

　MacBookをどこかに置いてきてしまったとき、または盗難されたときなどには、「探す」機能でMacBookの現在位置を調べることができる

（実際の使い方はNo050で解説）。ただし、「探す」機能を使うにはあらかじめ設定が必要だ。以下のように「システム設定」で位置情報サービスをオンにしておき、iCloudの設定で「Macを探す」をオンにしておこう。これでiPhoneや他のパソコンなどから位置を探せるようになる。

> **Apple製のデバイスは「探す」機能で位置を探せる**
>
> Mac以外でも、iPhoneやiPad、Apple Watch、AirPods、AirTagなどが「探す」機能に対応している。紛失した場合は、各デバイスの大まかな位置がマップで調べられるので安心だ。

1 「システム設定」で「探す」をオンにする

「システム設定」→「プライバシーとセキュリティ」をクリック。「位置情報サービス」で「位置情報サービス」をオンにしたら、「探す」もオンにしておこう。

2 「探す」がない場合は「詳細」からオンにする

「探す」の項目が表示されていない場合は、「システムサービス」の「詳細」ボタンをクリック。上の画面で「Macを探す」を有効にしておこう。

3 iCloudの設定で「Macを探す」をオンにする

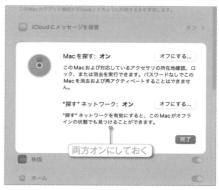

「システム設定」のサイドバー上部にある自分の名前をクリック。「iCloud」→「その他のアプリを表示」→「Macを探す」をクリックしたら、上のように設定しておこう。

---

7 マルウェア対策アプリをインストールする

マルウェアをスキャンして駆除できる無料アプリ

　macOSでは、マルウェアがシステムに侵入しないようにするための仕組みが何重にも施されており、通常の使用では感染しにくくなっている。とはいえ、最近ではmacOSを狙ったマルウェアも多数登場しており、感染リスクはゼロではない。あらかじめ対策を整えたいなら、「Intego VirusBarrier Scanner」などのマルウェア対策アプリで、定期的にシステム全体をスキャンしておくと安心だ。

Intego VirusBarrier Scanner
作者／Intego
価格／無料
入手先／App Store

> **外部ストレージなどをスキャンするには？**
>
> 外部ストレージなど特定の場所をスキャンしたい場合は、手動スキャンの「スキャンを開始」ボタンをクリックしよう。スキャンする場所を指定して「スキャン」をクリックすればいい。
>
>

1 設定アシスタントで初期設定を行う

最初に設定アシスタントで初期設定を行おう。「毎日のスキャン」画面では、「基本的な保護」を選択して、スキャンする場所を選択。各種アクセスを許可しておこう。

2 フルディスクアクセスを許可しておく

次に表示される説明に従ってフルディスクアクセスの設定をしておく。ただ、macOS Sonomaの場合、うまく設定できないようなので、「無視」で飛ばしておこう。

3 アプリが起動するのでスキャンを開始する

これでアプリが起動する。「毎日のスキャン」を有効化にしている場合は、特に何もしなくてよい。手動でスキャンしたい場合は、「今すぐ開始」をクリックしよう。

4 システムのスキャンが実行される

スキャンが実行されると、設定した場所にマルウェアがあるかどうかをチェックしてくれる。危険なファイルが見つかった場合は、隔離または削除可能だ。

「ユーザとグループ」画面で変更しよう
ユーザ名とパスワードを変更する

自由に変更できるがアカウント名の変更は注意

Macのログイン画面で表示されるユーザ名（フルネーム）と、画面ロックを解除するためのパスワードは、あとからでも自由に変更できる。まず、Appleメニューから「システム設定」→「ユーザとグループ」を開こう。変更したいユーザ名の右にある「i」ボタンをクリックすると、「ユーザ名」欄の名前を書き換えて新しいユーザ名に変更できる。またパスワード欄の「変更」ボタンをクリックすると、新しいパスワードを設定可能だ。なお、ここで変更できる「ユーザ名」とは、初期設定の「コンピュータアカウントを作成」で入力した「フルネーム」の項目だ。初期設定時にはフルネームとは別に「アカウント名」の入力が必要で、このアカウント名もあとから変更することは可能だが、なるべくなら変更しないほうがよい。アカウント名はホームフォルダのパスとして使われているため、名前を変更すると一部のアプリでアクセスしていたパスが変わってしまい、変更後のアカウント名でパスを再設定しないとアプリが正常に動作しなくなる。またアカウント名を変更するためには、別の管理者アカウントを作成してから切り替える必要があり、手順も面倒だ。どうしてもアカウント名を変更する必要がある場合は、事前にしっかりバックアップを作成してから変更作業を進めよう。

フルネームとログインパスワードの変更

1 ユーザとグループを開く

Appleメニューから「システム設定」→「ユーザとグループ」を開き、ユーザ名（フルネーム）やパスワードを変更したいユーザ名の「i」ボタンをクリックする。

2 ユーザ名を変更する

ユーザ名欄の名前をクリックし、好きな名前を変更しよう。ログイン画面で表示されるユーザ名（フルネーム）が新しい名前に変わる。

3 パスワード欄の変更をクリック

ログイン画面で画面ロックを解除するためのパスワードを変更したい場合は、同じ画面でパスワード欄の「変更」ボタンをクリックする。

4 新しいパスワードを入力して変更

古いパスワードと新しいパスワード、パスワードのヒントなどを入力し、「パスワードを変更」ボタンをクリックすれば変更できる。

アカウント名を変更する

1 別の管理者アカウントを作成する

「システム設定」→「ユーザとグループ」の「ユーザを追加」をクリックし、新規アカウントを「管理者」に変更して別のアカウントを作成しておく。

2 変更したいアカウントの詳細オプションを開く

作成した管理者アカウントでログインし直し、「システム設定」→「ユーザとグループ」で変更したいアカウント名を右クリックして「詳細オプション」をクリック。

3 ユーザ名欄でアカウントを変更する

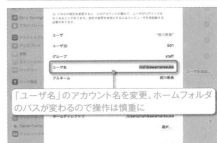

別の管理者アカウントから詳細オプションを開くことで、変更できなかった「ユーザ名」（アカウント名）を変更できるようになる。

042 キーチェーン

面倒なパスワード管理を簡単かつ安全に
パスワードの管理は
Macにまかせよう

パスワードを保存して iPhoneとも同期できる

　macOSでは、Safari上で利用するWebサービスのログイン情報（ID、パスワード）などを保存し、次回のログイン時にすぐ呼び出して自動入力できる「キーチェーン」機能が搭載されている。キーチェーンの情報は、同じApple IDを使っているiPhoneやiPadにも自動同期されるので、複数のApple製端末を使っている人はさらに便利だ。他にも、新規アカウント作成時にパスワードを自動で生成する機能や、パスワードの脆弱性や使い回し、漏洩リスクなどを警告してくれる機能なども備えている。パスワード管理が安全かつ手軽になるので、ぜひ使いこなしてみよう。

iCloudのキーチェーンを 有効にしておこう

iPhoneやiPadともパスワードを同期したい場合は、システム設定の左上にあるApple ID名をクリック。「iCloud」→「パスワードとキーチェーン」→「このMacを同期」をオンにしておこう。これで保存したパスワードが全端末で同期される。

「パスワードとキーチェーン」をオンにしておく。iPhoneやiPadでは、「設定」の一番上のApple IDをタップ。「iCloud」→「パスワードとキーチェーン」を開き、「このiPhone（iPad）を同期」をオンにする

Safariでログイン情報を保存して自動入力する

1 新規アカウント作成時に パスワードを自動生成する

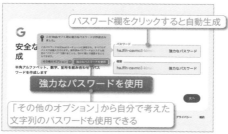

パスワード欄をクリックすると自動生成

「その他のオプション」から自分で考えた文字列のパスワードも使用できる

SafariでWebサービスの新規アカウントを作成する場合、自動的に強力なパスワードを生成してくれる。「強力なパスワードを使用」をクリックすれば、そのパスワードをキーチェーンに保存可能だ。

2 Webサイトログイン時に パスワードを保存する

Safariを使って、Webサービスに既存のアカウントでログインした場合、上のような表示が出る。ここで「パスワードを保存」をクリックすれば、ログイン情報がキーチェーンに保存される。

3 キーチェーンに保存された ログイン情報を自動入力する

表示された候補から入力するものをクリック

キーチェーンに保存したログイン情報は、次回のログイン時に自動入力できる。ユーザ名やパスワード入力欄をクリックして候補を選ぼう。複数のアカウントがある場合は「その他のパスワード」からさらに候補を選べる。

4 ログイン情報が 自動入力された

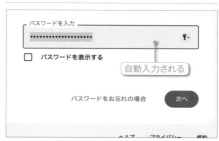

自動入力される

Touch IDなどで認証を済ませれば、ユーザ名やパスワードが自動入力される。入力欄が黄色になっていれば、その情報は自動入力されたことを示している。

保存したパスワードを管理する

1 システム設定で パスワードを修正、削除する

「i」→「編集」でパスワードの編集や削除が可能だ

システム設定の「パスワード」を表示すれば、保存したパスワードを管理できる。修正や削除したいものがあれば、項目一覧の右にある「i」をクリックしてみよう。

2 パスワードの脆弱性や 漏えいリスクをチェックする

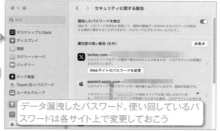

データ漏洩したパスワード、使い回しているパスワードは各サイト上で変更しておこう

「セキュリティに関する勧告」が表示されている場合、クリックするとパスワードの使い回しや漏洩リスクのあるパスワードが表示される。チェックして対策しておこう。

⊂□ POINT

macのキーチェーンはそのほかにもさまざまな情報を保存できる

macOSのキーチェーンに保存されるのは、Webサイトのログイン情報だけではない。Mac、アプリ、サーバなどのログイン情報およびクレジットカード情報や銀行口座のPIN番号など、さまざまな機密情報が保存される。現在キーチェーンに保存されている情報は、「キーチェーンアクセス」という標準アプリを使えばチェックできるので確認してみよう。なお、iCloudキーチェーンで他端末と同期できるのは、Safariの自動入力で使用しているWebサイトのログイン情報とクレジットカード情報、Wi-Fiネットワーク情報、および「メール」、「連絡先」、「カレンダー」、「メッセージ」で使用するアカウント情報に限られる。

043

パスキー

面倒なパスワードの作成および入力をせずにサインインできる

パスワード不要の認証システム「パスキー」を利用する

パスワードよりも安全なパスキーを使ってみよう

「パスキー」は、パスワード不要の認証技術だ。Macの場合、各種アプリやWebサービスへのサインインがTouch IDによる指紋認証だけで行えるようになる。パスキーは、パスワード認証と比べて不正ログインされる危険性が低く、2段階認証も省略できるため、安全で使いやすいのが特徴だ。ただし、アプリやWebサービス側がパスキーに対応している必要がある。ここでは、Amazonのサイトを例にパスキーを利用する方法を解説していこう。なお、iPhoneのFace IDを使ってパスキー認証を行うこともできる。この方法だと、他人や公共のパソコンからも安全にサインインが可能だ。

パスキーを使うにはTouch IDの設定が必要

パスキーを利用するには、事前にTouch IDの設定が必要となる。「システム設定」→「Touch IDとパスワード」から利用する指紋を登録し、2ファクタ認証も有効にしておこう。

指紋を登録しておく

パスキーを作成してTouch IDで認証する

1 パスワードとパスキーの自動入力をオンにする

まずは「システム設定」→「パスワード」→「パスワードオプション」を開き、「パスワードとパスキーを自動入力」をオンにしておこう。これでサインイン時にパスワードやパスキーが自動入力されるようになる。

2 アプリやWebサイトの設定画面でパスキーの設定を行う

各サービスのアカウント設定画面でパスキーの設定をする

次に、アプリやWebサービスのアカウント設定画面でパスキーの設定を行う。Amazonの場合は、Amazonのサイトで「アカウントサービス」→「ログインとセキュリティ」を開き、パスキーの「設定」→「設定」をクリック。

3 Touch IDで認証を行おう

Touch IDで指紋認証する

上の画面が表示されたら、Touch IDで認証を行おう。これでパスキーの作成が完了だ。なお、「システム設定」→「パスワード」を開き、該当するサービス名の「i」ボタンを押すと、パスキーが作成されたことが確認できる。

4 パスキーでサインインしてみよう

パスワード入力が不要になり、TouchIDの指紋認証でサインインできる。2段階認証も必要なくなる

パスキーを作成したサービスに再びサインインする場合は、Touch IDでサインイン可能だ。Amazonの場合は、パスワードの入力画面で「パスキーでサインイン」を押してTouch IDで指紋認証すればいい。

iPhoneやiPadのFace IDでパスキーの認証を行う

1 パスキー入力時にその他のサインイン方法を選ぶ

iPhoneやiPadのFace IDでパスキーを認証する場合は、パスキー入力時に「その他のサインイン方法」→「iPhone、iPad、またはAndroidデバイス」を選択。

2 認証用のQRコードが表示される

上のようなQRコードが表示されたら、自分のiPhoneやiPadで読み取る。なお、iPhoneやiPadは、自分のMacと同じApple IDで同期している必要がある。

3 iPhoneやiPadのカメラアプリで読み取る

iPhoneやiPadのカメラアプリを起動したら、「写真」モードに切り替えて、QRコードを読み取らせよう。すると画面下に「パスキーでサインイン」と表示されるのでタップ。あとはFace IDで認証すればパスキーでのサインインが完了する。

家族や信頼できる人もサインインできるようにする

パスワードやパスキーを他のユーザーと共有する

共有グループを作れば
パスワードを共有できる

macOSでは、パスワードおよびパスキーを他のユーザーと共有することが可能だ。家族や仕事の仲間など、信頼できるメンバー同士で、特定のWebサービスのサインイン情報を共有したい場合に使ってみよう。共有方法は2つあり、1つ目は共有グループを作ってそこでパスワードを共有する方法。共有したパスワードはメンバー間で管理でき、あとで変更したり、追加したりも可能だ。2つ目はAirDrop経由でパスワードを共有する方法。近くにいる相手へパスワードを渡したいときはこちらが簡単だ。ただし、共有する相手を間違えないように注意しよう。

POINT

相手側のデバイス条件によってはパスワードを共有できない

パスワードの共有グループに人を追加するには、相手がmacOS 14以降、iOS 17以降またはiPadOS 17以降のデバイスを持っている必要がある。また、条件を満たしていても、何らかの原因で追加できないことがあるようだ。

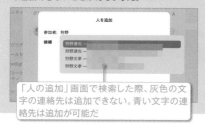

「人の追加」画面で検索した際、灰色の文字の連絡先は追加できない。青い文字の連絡先は追加が可能だ

共有グループを作ってパスワードを共有する

1 システム設定のパスワード画面で共有グループを新規作成する

まずは、パスワードを共有するグループを新規作成しよう。「システム設定」を開いたら、「パスワード」画面を開き、右上にある「＋」ボタンをクリック。「新規共有グループ」をクリックしよう。

2 グループの名前を決めて共有するメンバーを追加する

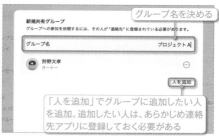

共有グループの説明画面で「続ける」をクリックしたら、グループ名を設定。「人を追加」をクリックし、グループに追加したい人の名前や電話番号、メールアドレスなどで検索。「追加」をタップしてメンバーを追加しておこう。

3 共有するパスワードを選択する

アップデートの説明が出たら「続ける」をクリック。上の画面になったら共有したいパスワードにチェックを入れて「移動」をクリックしよう。すると、そのパスワードが共有グループ内で管理されるようになる。

4 パスワードが共有グループで管理されるようになる

「システム設定」→「パスワード」を開くと、「マイパスワード」と先ほど作成した共有グループで別々にパスワードが管理されるようになる。共有されたパスワードは、共有相手側でも登録され、使えるようになる。

AirDropで近くの相手にパスワードを共有する

1 システム設定で共有したいパスワードを選ぶ

近くの相手にパスワードを共有するなら、AirDropで渡すことも可能だ。「システム設定」の「パスワード」を開き、共有したいパスワードの「i」ボタンをクリック。

2 パスワードの詳細画面で共有ボタンをクリックする

パスワードの詳細画面が表示されるので、画面左下の共有ボタンをクリックしよう。するとTouch IDなどの認証画面が出るので済ませておく。

3 共有する相手を選んでパスワードを送信

パスワードを共有するには、自分と共有相手の連絡先アプリに、お互いの連絡先が入っており、お互いのiCloudで使用しているメールアドレスが登録されている必要がある

AirDropで共有できる相手の一覧が表示されるので、共有したい相手をタップしよう。共有が実行されると相手の端末にパスワードが登録される。

サードパーティ製のパスワード管理アプリを使ってみよう
WindowsやAndroidと
パスワードを同期する

パスワードを厳重に守りつつ さまざまな端末で同期できる

masOSのキーチェーン機能は、Apple製品以外の端末とパスワードの同期ができない。Macのほかに、WindowsやAndroid端末とも同期したいのであれば、キーチェーンの代わりに「1Password」などのサードパーティ製のパスワード管理アプリを使うといい。キーチェーンと同じく、パスワードの自動入力や自動生成にも対応している。プランによっては家族のパスワードもまとめて管理できるので便利だ。

1Password
作者／1Password
価格／年額35.88ドル〜
入手先／https://1password.com/jp

Emergency Kitは 重要なので紛失しないように

1Passwordのアカウントを新規作成すると、「Emergency Kit」というPDFファイルが発行される。ここに書かれている「SECRET KEY」は、初回のサインインやアカウントの復旧で必要になる重要な情報だ。印刷して金庫などにしまっておこう。なお、パスワード部分の空欄は自分で記入すること。

アカウントを作成してMac用アプリを入手しよう

1 公式サイトでアカウントとパスワードを設定しておく

覚えやすいパスワードを設定

まずは、1Passwordのサイトにアクセスして「価格設定」から自分の好きなプランを選ぶ。メールアドレスを登録して新規アカウントを作成しよう。アカウントパスワードは覚えやすいものに設定すること。

2 カード情報の入力は一旦スキップしていい

無料で14日間の試用ができるので、その後にカード情報を追加すればいい。

クレジットカード情報の入力画面になったら、一旦入力せずに「アカウントを作成し、後からカードを追加」をクリックする。アカウントが作成されると「Emergency Kit」のPDFが発行されるのでダウンロードしておこう。

3 Mac用のアプリをダウンロードしておく

アプリを入手

1Passwordのサイトにサインインできたら、右上にあるアカウント名をクリックして「アプリを入手」を選択。「1Password for Mac」でアプリをダウンロードしてインストールしておこう。

4 1Passwordのアプリでサインインしておく

サインインしてアプリを起動

アプリを起動したらサインインしてパスワードを登録しておこう。新しいデバイスでの初回サインインでは、メールアドレスやパスワードのほか、「Emergency Kit」に書かれている「SECRET KEY」が必要になる。

1Passwordでパスワードを管理してみよう

1 1Passwordにパスワードを登録していこう

パスワード情報を登録して保存する

アプリの右上にある「+新規アイテム」からパスワード情報を追加していこう。WebサイトのURLも入力しておくと、Safariでの自動入力ができるようになる。

2 Safariに機能拡張を導入して自動入力を使えるようにする

「ユーザ名とパスワード」をオフにする

Safariでパスワードの自動入力や自動生成を行う場合は、Safariの機能拡張「1Password for Safari」を導入しておくこと。また、Safariの「設定」→「自動入力」で「ユーザ名とパスワード」をオフにし、キーチェーンの自動入力も無効化しておこう。

3 WindowsやAndroid端末でパスワードを同期する

1PasswordはWindowsやAndroid用のアプリも用意されている。自分の使っている端末にアプリをインストールしておこう。パスワードの同期は自動で行われる。

ファイルやフォルダ、メモ、写真などを隠す方法
大事なデータを見られないよう パスワードでロックする

他人に見られたくないものはこっそり隠しておこう

　Macには、他人に見られたくないデータがさまざまな場所に保存されている。代表的なものとしては、Finder内のファイルやフォルダ、標準メモアプリのメモ、写真アプリ内にある写真やビデオなどだ。ここでは、これらのデータをパスコードで保護し、他人に見られないようにする方法を伝授しておこう。ファイルやフォルダは、ディスクユーティリティで空のイメージ（仮想ドライブ）を作成し、パスコードを設定してそこに保存しておくのが簡単だ。標準メモアプリでは、メモごとにロックが行える。日記やプライベートな書き込みは、パスワードやTouch IDで認証しないと開けないようにしておこう。また、写真アプリの写真やビデオは、秘密にしたい項目を非表示にすることで一時的に隠しておける。

パスワード付きの仮想ドライブ内にファイルを保存する

1 ディスクユーティリティで空のイメージを作成する

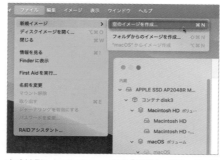

まずはFinderのメニューから「移動」→「ユーティリティ」を選択して「ディスクユーティリティ」を起動。次に、ディスクユーティリティのメニューから「ファイル」→「新規イメージ」→「空のイメージを作成」を選択する。

2 dmgファイルの各種設定を行う

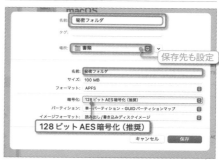

128 ビット AES 暗号化（推奨）

一番上の「名前」欄は、作成するdmgファイルの名前を設定。その下の「名前」欄は、マウント時の仮想ドライブ名を設定する。さらに「暗号化」欄で「128ビットAES暗号化（推奨）」を選択しておこう。

3 dmgファイルのパスワードを設定しておく

上のようにパスワードの入力欄が2つ表示されるので、dmgファイルを開く際に必要なパスワードを設定。「選択」→「保存」でdmgファイルが作成される。

4 ディスクユーティリティで空のイメージを作成する

隠したいファイルを仮想ドライブにコピーし、元のファイルは消しておく

上が作成されたdmgファイルだ。下がマウントされた仮想ドライブとなる。仮想ドライブ内に、隠したいファイルやフォルダを入れておこう。

5 dmgファイルをマウントする際にパスワードが必要になる

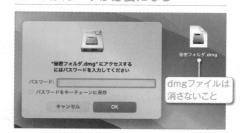

dmgファイルは消さないこと

仮想ドライブを隠したいときは、ゴミ箱に入れてマウントを解除すればいい。再びマウントする際は、dmgファイルをダブルクリックしてパスワードを入れよう。

標準のメモアプリでメモをロックする

1 標準のメモアプリでメモをロックしよう

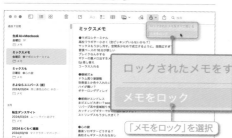

ロックされたメモをす

メモをロック

「メモをロック」を選択

標準のメモアプリを起動したら、ロックしたいメモを開く。画面上の南京錠マークをクリックして「メモをロック」を実行しよう。初回はパスワードの設定を行っておく。

2 パスコードまたはTouch IDなどで認証しないと開かなくなる

メモがロックされた

ロックしたメモは、パスワード入力かTouch IDで認証しないと開けなくなる。ロック解除したメモを再びロックするには、南京錠マークから「メモをロック」を選ぼう。

✐POINT

他人に見られたくない写真アプリの写真やビデオを非表示にする

写真アプリの写真やビデオを他人に見られたくないときは、ライブラリから写真を選び、右クリックから「～を非表示」→「非表示」を実行しよう。その写真は一時的に非表示となる（削除はされない）。非表示にした写真やビデオを表示したい場合は、写真アプリのメニューから「表示」→「非表示アルバムを表示」を実行しよう。サイドバーにある「非表示」をクリックし、パスワードやTouch IDで認証すると開けるようになる。

外部編集
1枚の写真を複製
1枚の写真の非表示を解除
1枚の写真を削除

紛失時の情報流出リスクを最低限に抑える

外部ストレージを パスワードでロックする

暗号化で他人が アクセスできないようにする

もし、Macで使っている外部ストレージを紛失した場合、他人にアクセスされてしまう可能性がある。企業の社外秘のデータや重要な個人情報などを保存していた場合、外部に流出してしまうリスクもあるのだ。そこで、重要なデータを保存している外部ストレージは、パスワードを設定して暗号化しておこう。ドライブの暗号化はディスクユーティリティで行える。この際、ドライブ全体を初期化する必要があるので、すでに重要なデータが保存されている場合は、一旦別のドライブにバックアップしておこう。

ディスクユーティリティでドライブを暗号化する

1 ディスクユーティリティで すべてのデバイスを表示

まずはLaunchpadの「その他」の中にある「ディスクユーティリティ」を起動。上のように「すべてのデバイスを表示」を選択しよう。

2 ドライブを選択して 「消去」を実行する

サイドバーから暗号化したいドライブ名を選択し、「消去」をクリック。なお、ドライブは初期化されるので重要なデータは別のドライブにバックアップしておくこと。

3 ドライブの初期化設定を行う

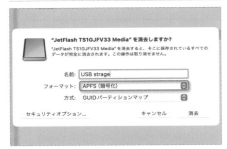

初期化の設定が表示されるのでドライブ名を設定。「方式」に「GUIDパーティションマップ」を選択したら、次にフォーマットを「APFS（暗号化）」にしておこう。

4 パスワードを設定する

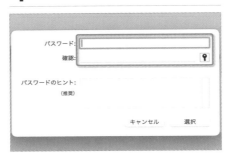

パスワードの設定画面になるので、「パスワード」と「確認」欄にパスワードを入力して「選択」をクリック。「消去」でドライブの初期化を行おう。

5 ドライブの初期化が行われる

ドライブの初期化が行われるのでしばらく待っておこう。初期化が完了したら「完了」をクリック。すると初期化したドライブが新たにマウントされる。

暗号化されたドライブを使ってみよう

1 ドライブのマウント時に パスワード入力が必須になる

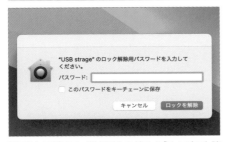

暗号化してパスワードを設定したドライブは、マウント時にパスワード入力が必須になる。もし、この外部ストレージを紛失しても、他人はアクセスできないので安全だ。

2 暗号化を解除する場合は 右クリックから「復号」を実行

暗号化を解除したい場合は、ドライブをマウントした状態で右クリック→「復号」を選択。パスワードを入力すれば暗号化が解除され通常のドライブになる。

POINT

外部ストレージを 暗号化したときのデメリット

暗号化した外部ストレージは、紛失時の情報流出リスクを抑えてくれる一方で、マウント時にパスワード入力が必要になるなど使い勝手がやや低下する。また、APFS形式でフォーマットした外部ストレージは、Windowsに接続しても認識されなくなるので注意だ。MacとWindowsの両環境で使える暗号化ドライブを作りたい場合は、別途「VeraCrypt」などのアプリを使うとよい。

VeraCrypt
https://veracrypt.fr/en/Home.html

048

フォント

さまざまなフォントをインストールしておこう
Macで使える
フォントを追加する

フォントの追加と管理方法を覚えておこう

　macOSでは、各種アプリで利用するフォント（書体）を自由にインストール可能だ。フォントは「Font Book」という標準アプリで管理できる。インターネットからフリーフォントなどをダウンロードした場合は、右で解説している手順でインストールしておこう。なお、一部有料フォントの場合は、メーカーごとにフォントのアクティベート方法が異なる。サービスごとに推奨される手順でインストールすること。

Macにインストールできるおもなフォント形式

MacのFont Bookにインストールできるおもなフォント形式は、「.otf（Open Type Font）」、「.ttf（True Type Font）」、「.ttc（TrueType Collection）」などだ。

A-OTF-ShinGo...-Bold.otf

Monaco.ttf

Apple Color Emoji.ttc

Font Bookでフォントをインストールして管理しよう

1　Font Bookにフォントファイルをドラッグ&ドロップしてインストール

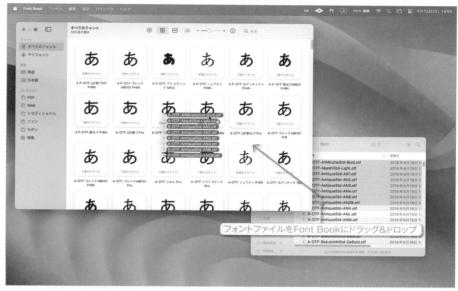

フォントファイルをFont Bookにドラッグ&ドロップ

まずはLaunchpadの「その他」の中にあるFont Bookアプリを起動しよう。インストールしたいフォントファイルをFont Bookアプリのウインドウ内にドラッグ&ドロップする。これでフォントがインストールされる。

2　フォントファイルのダブルクリックでもインストール可能だ

フォントファイルをダブルクリックしてもインストールが可能だ。ただし、一部フォントは直接Font Bookにドラッグ&ドロップしないとインストールできないものもある。

3　アプリでインストールされたか確認してみよう

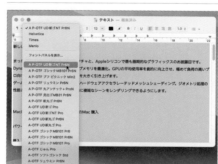

テキストエディットなど、フォントに対応したアプリでフォントリストを表示。インストールされたフォントが使えるかどうかを確認しておこう。

4　不要なフォントを無効化する

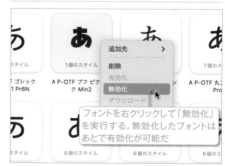

フォントを右クリックして「無効化」を実行する。無効化したフォントはあとで有効化が可能だ

フォントをたくさんインストールすると、アプリの起動や動作が遅くなることがある。しばらく使っていない不要なフォントは無効化しておくのがおすすめだ。

POINT

WindowsのフォントをMacにインストールできる?

Windowsにインストールされているフォントをmacで も使いたい場合は、フォントファイルをそのままMacにコピーしてインストールすればいい。.otfや.ttf、.ttc形式のフォントファイルであれば、多くの場合そのまま使える。なお、フォントごとのライセンスで、複数台での使用が認められているかも確認しておこう。

Windowsのフォントファイルは、Cドライブ直下にある「Windows」フォルダ→「Fonts」フォルダに入っている。これを外付けストレージなどを使ってMacにコピーしてインストールしよう。

内部ストレージの整理方法やMacのお掃除アイテムなどを紹介

Macの内側も外側も スッキリ掃除しよう

1 内蔵ストレージの使用状況をチェックする

空き容量や 使用状況を確認する

Macの内蔵ストレージは、たくさんのデータを保存していくとそのうち容量不足になってしまう。容量不足になると、ファイルの保存やダウンロード、アプリの起動ができなくなるなどの不具合が出るので、内蔵ストレージの空き容量を定期的にチェックしておきたい。以下の2つの方法を覚えておけば、内蔵ストレージの空き容量および使用状況グラフを確認できるので覚えておこう。

1 内蔵ストレージの 空き容量を調べる

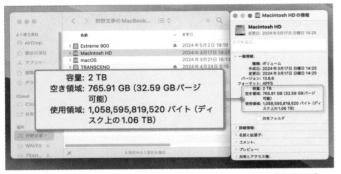

内蔵ストレージの空き容量を知りたい場合は、Finderのメニューから「移動」→「コンピュータ」を選び、「Macintosh HD」を選択した状態で「command」+「I」キーを押そう。情報ウインドウが表示され、ストレージの空き領域などを確認できる。

2 内蔵ストレージの使用状況を グラフで確認する

使用状況がグラフ表示される

詳しい使用状況をチェックしたい場合は、「システム設定」→「一般」→「ストレージ」を表示しよう。内蔵ストレージの使用状況がグラフ表示される。「すべてのボリューム」をクリックすると、接続されている外部ストレージの使用状況もチェック可能だ。

2 ファイルやアプリをサイズ順に表示し不要なものを削除する

不要なものを削除して 空き容量を確保する

内部ストレージの空き容量が少なくなってきた場合は、不要なアプリやファイルなどを削除しておこう。「システム設定」→「一般」→「ストレージ」で「アプリケーション」または「書類」の「i」マークを押すと、アプリや書類ファイルを大きいサイズ順に表示できる。ここから不要なものを探して削除すれば、効率的に空き容量を確保可能だ。ただし、必要なアプリや書類ファイルまで消さないように注意しよう。

1 「システム設定」で ストレージを表示する

「i」マークをクリックする

「システム設定」→「一般」→「ストレージ」を表示。画面下にスクロールして、「アプリケーション」および「書類」の「i」マークをクリックしてみよう。

2 不要なアプリケーションを 削除する

クリックしてアンインストール。「最終アクセス」や「種類」をクリックして並べ替えることもできる

削除...

アプリケーションの「i」をクリックした場合、サイズの大きい順にアプリが表示される。不要なものがあれば選択して、「削除」ボタンでアンインストールしておこう。

3 不要な書類を 削除する

クリックして削除。「最終アクセス」や「種類」をクリックして並べ替えることもできる

削除...

書類の「i」をクリックした場合、サイズの大きい順に書類ファイルが表示される。こちらも不要なものがあれば選択して、「削除」ボタンで削除しておこう。

3 アプリを使って不要ファイルを一掃する

不要ファイルの削除やセキュリティ対策もこれ1本で

「CleanMyMac X」は、Mac内に溜まった不要ファイルや壊れたデータ、キャッシュなどをまとめて削除できるアプリだ。そのほかにもアプリのアンインストール機能、ウイルスやアドウェア対策機能、ストレージの状況を詳細に表示する「スペースレンズ」など、便利な機能を搭載。

CleanMyMac X
作者／MacPaw Inc.
価格／無料(完全版は年額4,500円〜)
入手先／App Store

簡単に空き容量を確保できる

スキャンするだけで、Mac内の不要なファイルやキャッシュを検索して削除できる。ディスクの使用状況を詳細に表示したり、大容量かつ古いファイルだけを探し出したりなど、ディスクのクリーンアップに役立つ機能が満載だ。なお、無料版だとスキャンのみが行えて、削除機能などは実行できない。完全な機能を解除するには「完全版を購入」から購入手続きを行っておこう。

4 キーボードやディスプレイもきれいにする

本誌おすすめのお掃除グッズ

Macのキーボードやディスプレイもキレイにしたいなら、以下のようなメンテナンスグッズを揃えておくといい。カメラレンズ用のブロワーは、キーボードの隙間などに入り込んだほこりを吹き飛ばすのに役立つ。ディスプレイに付いた指紋や汚れを落とすには、液晶専用のクリーナーとクロスを使おう。

Kenko クリーニング用品
パワーブロワー
ダブルノズルセット
メーカー／Kenko
実勢価格／1,100円(税込)

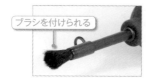
ブラシを付けられる

キーボードの隙間のほこりを吹き飛ばす

カメラレンズ用のブロワー。キーボード周りのほこりを吹き飛ばすのにも最適だ。先端のノズルには、ショートタイプとロングタイプの2種類が付属。また、ロングタイプのノズルにはブラシを取り付けでき、隙間に入ったほこりを掻き出すのに便利だ。

液晶画面のクリーニングに最適

液晶用のクリーナーと抗菌クロスのセット。独自配合の成分により、ディスプレイにナノレベルのコーティングを施し、指紋や雑菌、埃を寄せ付けない。ディスプレイの汚れが気になったら使ってみよう。

WHOOSH
スクリーンクリーナー
キット
メーカー／WHOOSH
実勢価格／3,800円(税込)

POINT

キーボードの掃除中に役立つキーボード無効化アプリ

KeyboardCleanTool
作者／folivora.AI GmbH
価格／無料
入手先／https://folivora.ai/keyboardcleantool

Macのキーボードを掃除する際は、キーボード入力を一時的に無効化できる「KeyboardCleanTool」を使うとよい。アプリを公式サイトからダウンロードして起動したら、「Click to start cleaning mode / lock the keyboard!」ボタンを押そう。キーボード入力が無効化され、再びボタンを押せば有効化される。なお、初回起動時はアクセシビリティの設定が必要なので、表示される手順に従って許可しておこう。

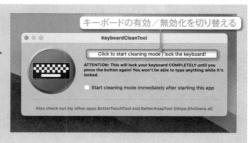
キーボードの有効／無効化を切り替える

「探す」アプリなどを使って探そう

紛失したMacを見つけ出す

あらかじめ機能が有効になっているかチェック

MacBookを持ち歩いて外出先でも使っている場合は、紛失および盗難の対策も必要だ。MacBookの紛失や盗難に備えて、iCloudの「探す」機能をあらかじめ有効にしておこう。万一MacBookを紛失した際は、iPhoneやiPadを持っているなら、「探す」アプリを使って現在地を特定できる。または、家族や友人のiPhoneを借りて「探す」アプリの「友達を助ける」から探したり、パソコンやAndroidスマートフォンのWebブラウザでiCloud.com（https://www.icloud.com/）にアクセスして「探す」から探すことも可能だ。どちらも2ファクタ認証はスキップできる。また、紛失したMacBookの「"探す"ネットワーク」がオンになっていれば、オフラインの状態でもBluetoothを利用して現在地が分かる仕様だ。なお、「探す」アプリではさまざまな遠隔操作も可能だ。「紛失としてマーク」を有効にすれば、即座にMacBookはロックされ、画面に拾ってくれた人へのメッセージや電話番号を表示できる。地図上のポイントを探しても見つからない場合は、「サウンドを再生」で徐々に大きくなる音を鳴らして発見をサポートしてくれる。発見が難しく情報漏洩阻止を優先したい場合は、「このデバイスを消去」ですべてのコンテンツや設定を消去しよう。初期化しても、アクティベーションロック機能により他人に勝手に使われない仕組みになっている。

「探す」の設定と紛失したMacBookの探し方

1 事前に「探す」の設定を確認しておく

「Macを探す」と「"探す"ネットワーク」のオンを確認

Appleメニューから「システム設定」を開き、一番上の「Apple ID」をクリック。「iCloud」→「その他のアプリを表示」→「Macを探す」がどちらもオンになっていることを確認。「システム設定」→「プライバシーとセキュリティ」→「位置情報サービス」もオンにしておこう。

2 iPhoneなどの「探す」アプリで探す

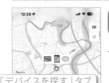

「デバイスを探す」タブで紛失したMacBook名をタップ。オフラインの場合は、検出された現在地が黒い画面の端末アイコンで表示される

MacBookを紛失した際は、同じApple IDでサインインしたiPhoneやiPadなどで「探す」アプリを起動しよう。紛失したMacBookを選択すれば、現在地がマップ上に表示される。

3 友人のiPhoneで友だちを助けるをタップ

家族や友人のiPhoneを借りて探す場合は、まず「探す」アプリで「自分」タブを開き、下の方にある「友だちを助ける」をタップ。するとSafariでiCloud.comのサインイン画面が開くので、「サインイン」をタップする。

4 2ファクタ認証不要で「探す」を利用できる

「別のApple IDを使用」をタップし、自分（紛失したMacBook）のApple IDを入力してサインインを済ませると、2ファクタ認証も不要で「デバイスを探す」画面が表示される。デバイス一覧から、紛失した自分のMacBookを選択しよう。

5 サウンドを鳴らして位置を特定

タップして音を鳴らす。デバイスがオフラインの時は、次にオンラインになった時に再生される

マップ上の位置を探しても紛失したMacBookが見つからないなら、メニューから「サウンド再生」をタップしてみよう。徐々に大きくなるサウンドが約2分間再生され、MacBookの位置を特定できる。

6 Macをロックして紛失モードにする

「次へ」をタップして画面に表示する連絡先やメッセージを入力し、「ロック」をタップする

「紛失としてマーク」をタップし、続けて「次へ」→「ロック」をタップすると、MacBookをロックできる。画面上には連絡を促すメッセージなどを表示できるほか、クレジットカード情報なども削除される。

7 デバイスを消去して初期化する

メニューから「このデバイスを消去」をクリックすると、MacBookを遠隔で初期化できる。情報漏洩阻止が最優先の場合に実行したい。ただし、消去を実行すると現在地を追跡できなくなるので操作は慎重に。また、現行のMacBookであれば、アクティベーションはロックされたまま初期化するので、再度初期設定を行う際は、初期化前に使っていたApple IDとパスワードが必要になる。つまり、「このデバイスを消去」が実行されたMacBookであっても、勝手に使われたり販売されたりする心配はない。なお、オフラインのデバイスは「このデバイスを削除」を選択できるが、この操作を実行するとApple IDとの関連付けが解除されるので、自分で譲渡や売却するとき以外は選ばないようにしよう。

好 評 発 売 中

MacBookユーザー必携の決定版ガイドブック!

**MacBook
完全マニュアル
2024**

A4変形／144ページ
1,640円(税込)

144ページの大ボリューム
で、基本操作から活用技、
iPhone&iPadとの連携技
にトラブルシューティングまで
詳しく解説。M3やM2、M1
などのAppleシリコンモデル
からIntelモデルまで幅広く
対応しています。

iOS 17をインストールした全機種対応!

**iPhone
完全マニュアル
2024**

A4変形／112ページ
1,360円(税込)

はじめてのiPhoneでも大丈
夫。使いこなしも完璧に。初
期設定からスタートし、基本
操作や標準アプリの使い
方、活用技までこの1冊です
べてがわかる。15シリーズや
SEをはじめ幅広い機種に
対応します。

iOS 17の隠れた便利技や裏技が満載!

**iPhone 15 Pro/
15 Pro Max/15/15 Plus
便利すぎる!
テクニック**

A4変形／112ページ
1,280円(税込)

iPhoneの隠れた便利機
能、裏技、正しい設定、おす
すめアプリ、トラブル解決術
をたっぷり紹介。知らなかっ
たテクニックが満載です。
iPhone 15シリーズだけで
はなくiOS 17にアップデート
した全機種対応です。

基本操作から活用技まで詳細解説!

**iPad
完全マニュアル
2024**

A4変形／112ページ
1,370円(税込)

はじめてのiPadでも大丈
夫。使いこなしもバッチリ
OK。基本操作から活用テ
クニックまでこの1冊すべ
てがわかるiPadガイドです。
iPadOS 17をインストールし
たすべての機種に対応して
います。

全国の書店やオンラインストアでお買い求めください。主要なストアで電子書籍版も配信中です。

standards

Mac
便利技大全

S T A F F

Editor	清水義博（standards）
Writer	狩野文孝 西川希典
Cover Designer	高橋コウイチ（wf）
Designer	高橋コウイチ（wf） 越智健夫

2 0 2 4 年 6 月 5 日 発 行

編集人	清水義博
発行人	佐藤孔建
発行・ 発売所	スタンダーズ株式会社 〒160-0008 東京都新宿区四谷三栄町 12-4 竹田ビル3F TEL 03-6380-6132
印刷所	中央精版印刷株式会社

https://www.standards.co.jp/